Les termes clés de l'analyse du théâtre

Anne Ubersfeld
Professeur émérite de l'université Paris-III

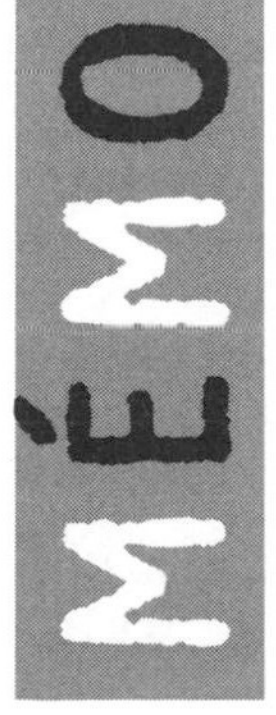

Seuil

COLLECTION DIRIGÉE PAR JACQUES GÉNÉREUX ET EDMOND BLANC

1. *Chronologie de l'économie mondiale.* Frédéric Teulon
2. *Chronologie de l'économie française.* Frédéric Teulon
3. *L'Économie française depuis 1945.* Frédéric Teulon
4. *Le Système monétaire international.* Frédéric Teulon
5. *Le Commerce international.* Frédéric Teulon
6. *Les Politiques économiques.* Jacques Généreux

7. *Les Grands Courants de la philosophie ancienne.* Alain Graf
8. *Les Grands Courants de la philosophie moderne.* Alain Graf
9. *Les Grandes Œuvres de la philosophie ancienne.* Thierry Gontier
10. *Les Grandes Œuvres de la philosophie moderne.* Thierry Gontier
11. *Lexique de philosophie.* Alain Graf et Christine Le Bihan

12. *La Révolution française.* Jean-Clément Martin
13. *Bilan de la Seconde Guerre mondiale.* Marc Nouschi
14. *La IVe République.* Jacques Dalloz
15. *Les Relations internationales depuis 1945.* Philippe Moreau Defarges
16. *La Construction européenne de 1945 à nos jours.* Pascal Fontaine
17. *Le Commentaire de documents en histoire médiévale.* Jacques Berlioz

18. *Aborder la linguistique.* Dominique Maingueneau
19. *Les Grands Courants de la critique littéraire.* Gérard Gengembre
20. *Les Termes clés de l'analyse du discours.* Dominique Maingueneau
21. *Les Termes clés de l'analyse du théâtre.* Anne Ubersfeld
22. *L'Analyse des récits.* Jean-Michel Adam et Françoise Revaz
23. *L'Argumentation.* Christian Plantin
24. *Le Comique.* Jean-Marc Defays

ISBN 2-02-022955-2

INDEX

Certains termes ci-dessous ne se trouvent pas à leur place alphabétique, mais sont définis dans un autre article auquel nous renvoyons le lecteur par le symbole ▶.

ABSURDE (THÉÂTRE DE L'-)

Notion réservée au théâtre né dans les remous de l'immédiate après-guerre, le théâtre de l'absurde, représenté essentiellement par la triade Ionesco-Beckett-Adamov, est une mise en question non tant du personnage – dont on ne peut guère faire l'économie au théâtre à cause de la présence physique de l'acteur – que de l'action et du langage.
Action : essentiellement statique et qu'on ne peut analyser ni selon la diachronie de la fable*, ni selon la syntaxe du modèle actantiel*.
Langage : les lois de la logique vulgaire y sont bravées. Pourtant la communication n'y est nullement absente, régie par la succession d'actes de langage* perceptibles.
Bibliogr. : Corvin, 1963 ; Esslin, 1963 ; Adamov, 1964.

ACTANTIEL (MODÈLE)

Le modèle actantiel est une construction syntaxique sur le modèle linguistique de la syntaxe structurale de Tesnière, dont le but est de rendre compte d'une manière aussi simple et directe que possible de l'action dramatique avec ses divers facteurs.
Un petit nombre d'éléments animés ou non, présents dans toutes les histoires, les actants, possèdent une fonction, établissant ainsi des liaisons structurales : un sujet, en principe non abstrait, mais concret et individualisé, recherche un objet ; dans cette quête, il rencontre des auxiliaires, des adjuvants, et aussi des adversaires, les opposants. Mais le sujet n'est ni seul, ni autonome : sa quête est programmée par un ensemble d'éléments qui la conditionnent ; c'est le destinateur, qui peut être (est en général) un ensemble abstrait ou pluriel (l'ordre social, Dieu, telle ou telle valeur, telle ou telle force individuelle ou sociale ou politique, Éros ou l'ambition). Quant au résultat de la quête, il ne concerne en général pas le seul sujet : l'action se fait à l'intention d'un destinataire (qui peut être le Sujet ou la Cité ou l'Humanité...).
Le modèle actantiel a été mis au point par Vladimir Propp, qui donne un exemple parlant, celui de la quête du Graal : Dieu (destinateur) envoie les chevaliers de la Table ronde (sujets) à la recherche de l'objet Graal, à l'intention du destinataire Humanité ; les sujets bénéficient de l'aide des anges (adjuvants), et sont confrontés aux obstacles que leur préparent les démons (opposants).

Le modèle actantiel a été repris avec beaucoup de précision par A. Greimas (*Sémantique structurale*). Ce type d'analyse, apparemment simple, est en fait d'un maniement complexe, n'a rien de mécanique, et réclame la connaissance de toutes sortes d'éléments objectifs (voire historiques) ; ainsi la case destinateur peut être très complexe : à côté d'Éros ou de l'ordre social peuvent apparaître des motivations subtiles, l'amitié, la glorification de l'*ego*, la présence de valeurs dont le sujet peut n'avoir même pas conscience. Quant au sujet, il peut être pluriel, il peut même changer au cours de l'action. L'objet aussi peut être double : ainsi dans *Le Misanthrope*, Alceste veut à la fois Célimène... et la vertu. Il est clair que dans la même œuvre, à une pluralité d'actions correspond une pluralité de modèles actantiels.
Les liaisons actantielles sont des liaisons abstraites, analogues aux liaisons syntaxiques.
Bibliog. : Propp, 1965 ; Souriau, 1950 ; Greimas, 1966.

ACTE DE LANGAGE

Unité pragmatique définissant pour chaque énoncé l'action exercée par le locuteur sur l'allocutaire : acte directif (ordre, conseil, défense), assertif, etc. ▶ **Dialogue**.

ACTE SCÉNIQUE ▶ SCÉNIQUE (ACTE)

ACTEUR

L'acteur est un artiste présent sur l'espace scénique et dont la mission est d'agir et de parler dans un univers fictionnel qu'il construit ou contribue à construire. D'où la double fonction et, si l'on peut dire, le double statut de l'acteur, à la fois élément actif d'un univers fictionnel et praticien travaillant avec son corps-voix. Interrogé sur le statut de l'acteur (« est-ce un interprète... ? »), Vitez répond : « un artiste », affirmant du même coup l'autonomie créatrice de l'acteur (et/ou du comédien*). Quant à la différence de ces deux vocables, Jouvet disait que le comédien est celui qui peut adopter tous les rôles et se fondre en eux, tandis que l'acteur apporte à chacun de ses rôles sa personnalité propre, bien reconnaissable. Distinction intéressante, un peu fragile. On a tendance maintenant à distinguer l'acteur-artiste et la profession de comédien. L'acteur a toujours été l'objet à la fois de la suspicion et de la fascination (▶ **Mimesis, Comédien**). Le XIXe siècle et le début du XXe sont l'ère du « monstre sacré », à présent éclipsé par la star du cinéma.

A mesure que la mise en scène prend de la place, l'importance de l'acteur semble se réduire. Il devient « sur-marionnette » comme le veut le système de Craig – obéissant aveuglément au placement précis du metteur en scène. Stanislavski lui demande de plonger au cœur de sa subjectivité, de sa personnalité émotionnelle – ce que Lee Strasberg et l'Actor's Studio poussent jusqu'à l'exploration de l'inconscient. Meyerhold rappelle la place de l'entraînement physique de l'acteur, par sa pratique de la biomécanique. Brecht rappelle l'acteur à sa conscience critique et à l'obligation de montrer le théâtre.

Vitez reprend à la fois l'héritage meyerholdien et celui de Stanislavski, dont il cite la grande formule : « Ne cherchez pas en vous, en vous il n'y a rien ; cherchez dans l'autre qui est en face de vous. »

Le travail de l'acteur. Ce travail est :

a) d'être l'énonciateur d'un discours et l'auteur d'une action ;

b) de construire un sujet de l'action/du discours qui soit « acceptable » (« vraisemblable ») pour le spectateur ;

c) de construire une/plusieurs relation(s) interpersonnelle(s) forte(s). Ce faisant, il met en place un système de signes qui en font un élément :

– de l'esthétique de la représentation comme totalité ;

– de la production du sens.

Bibliogr. : Craig, 1911, 1942 ; Stanislavski, 1963, 1980 ; Strasberg, 1969 ; Brecht, 1979.

L'acteur au sens sémiologique du mot est un « personnage »* caractérisé par :

a) un processus : Scapin est l'acteur-fabriquant de ruses, le jeune premier est l'acteur-amoureux (dont l'action est de chercher à conquérir) ;

b) un certain nombre de traits différentiels : il est mâle *ou* femelle, puissant *ou* non puissant, jeune *ou* vieux. Les oppositions qui définissent les acteurs dans une œuvre en éclairent à la fois la structure et le sens : ainsi chez Racine ne joue pas l'opposition roi/non-roi, mais l'opposition puissant/non puissant. Chez Molière se voit l'opposition pertinente jeune/vieux...

▶ **Actantiel (modèle), Personnage**.

Bibliogr. : Greimas, 1966, 1970.

ACTION (DRAMATIQUE)

Suite des événement montrés ou racontés sur une scène et qui permettent de passer de la situation A de départ à une situation B d'arrivée par toute une série de médiations.
La notion est ambiguë, comme la plupart des notions qui touchent au théâtre : c'est qu'elle désigne tout aussi bien le récit fictionnel que les événements purement scéniques. D'autre part l'action peut être aussi bien un ou plusieurs actes matériels (une mort, une bataille, un procès) qu'une série d'événements dont le statut est uniquement verbal. L'action peut apparaître statique, peu chargée d'événements ou de progression faible (c'est le cas de beaucoup de tragédies antiques ou renaissantes, ou d'œuvres contemporaines) ; elle peut être dynamique (comportant une intrigue*) ou même implexe, c'est-à-dire impliquant plusieurs séries d'événements associées (le mot est de Corneille, mais la réalité se trouve surtout dans le théâtre baroque, ou romantique, ou chez les Élisabéthains et les Espagnols du *Siglo de Oro*).
L'action dramatique est pour Aristote l'élément capital du théâtre : « La tragédie est représentation d'action et les agents en sont des personnages en action [...]. Les faits et l'histoire [*mythos* : la fable*] sont bien le but visé par la tragédie et le but est le plus important de tout » (Aristote, *Poétique*, VI).
L'action suppose des articulations de deux types différents :
1) des moments qui dans les œuvres classiques se suivent dans un ordre canonique, mais dont on retrouve les éléments dans presque toutes les œuvres théâtrales : a) une exposition* qui donne une vue aussi complète que possible de la situation de départ, et en principe telle que les spectateurs doivent la connaître pour comprendre la suite des événements ; b) un ou plusieurs événements clefs (la péripétie*, qui, par exemple, dans la tragédie classique se trouve à l'acte IV) ; c) un dénouement* qui remet dans un ordre nouveau les éléments de la situation de départ (acte V dans le théâtre classique) ;
2) des divisions d'une nature différente selon le genre du spectacle : journées, tableaux, actes, scènes. Journées ou tableaux sont des unités plus vastes et plus floues qui appartiennent à la dramaturgie baroque ou moderne (à partir du romantisme), et entre lesquelles peuvent intervenir des pauses temporelles plus ou moins longues. La notion de tableau* implique, en général, la présence d'éléments visuels et/ou historiques.
Les actes sont les articulations du théâtre classique, qui en prin-

cipe ne comportent entre elles que des ruptures temporelles faibles, mais font intervenir une pause de tous les éléments en même temps.
On nomme scène* dans le théâtre traditionnel une division de l'action telle qu'elle comporte une configuration déterminée de personnages ; un changement de scène impliquant un changement dans la co-présence des personnages.
Le théâtre contemporain divise souvent le texte – et la représentation – par des noirs qui séparent des morceaux, et signalent un changement spatial ou temporel. Ces morceaux sont en général plus courts que la moyenne des scènes du théâtre conventionnel et signent la discontinuité propre à l'esthétique contemporaine.

Modes de l'action dramatique.
Elle peut :
1) développer les éléments affectifs d'une situation (par exemple, les tragédies statiques de la Renaissance) ;
2) raconter une fable* très connue en lui donnant des variantes (tragédies antiques) ;
3) développer un conflit familial, ou personnel, ou historico-politique ;
4) raconter une destinée (*Macbeth*) ;
5) montrer un personnage en action : *Dom Juan, Le Misanthrope* ;
6) raconter une histoire complexe, faite de la collision de deux chaînes d'événements : tragédie implexe, comédie d'intrigue, vaudeville.

ADAPTATION

Le mot adaptation a deux sens au théâtre :
1) il désigne le passage d'un texte non théâtral (romanesque ou épique) à un texte théâtral, où seraient préservés (ou construits) les dialogues, ainsi que les principaux éléments du récit, confiés à des didascalies, au dialogue ou au monologue d'un récitant ;
2) il désigne le travail (c'est plus ou moins celui du dramaturge* au sens moderne du terme) qui, prenant un texte ancien (une ancienneté qui peut n'être que de peu d'années) ou étranger, traduit, lui donne, par des changements didascaliques ou des modifications dans l'ordre des épisodes, une couleur qui convienne à l'univers du spectateur d'aujourd'hui. L'adaptation peut com-

mencer à la traduction et comporter même des modifications du texte dialogué.

APARTÉ

Désigne un énoncé produit par un personnage à l'insu (théoriquement) de son ou ses allocutaires : énoncé adressé selon la fiction à soi-même, mais bien entendu au spectateur, du fait de la double énonciation (▶ **Énonciation**).

ARISTOTE - ARISTOTÉLISME

Philosophe antique de la raison en action, Aristote donne le premier rang au théâtre (particulièrement à la tragédie) par rapport à l'épopée et à l'histoire, comme portant sens par le mouvement même des faits (*pragmata*). Dans sa *Poétique*, il met l'accent sur deux éléments : l'action* et le *pathos* (pathétique*), c'est-à-dire l'effet produit sur le spectateur. L'action est une succession construite d'éléments, présentée comme une, dans une relative continuité spatio-temporelle et imitant (*mimesis**) des événements réels ou possibles ; de là la prescription de base : ce qui doit gouverner l'action, c'est la vraisemblance* ou la nécessité*, c'est-à-dire l'enchaînement d'événements liés par la logique du fatal ou, du moins, du possible (vraisemblable).
« La vraisemblance est un principe d'invention. Elle modèle l'action pour que celle-ci apparaisse aussi proche que possible du nécessaire [...]. La nécessité est un principe de structure ; elle introduit la rationalité dans l'arbitraire et l'ordre logique dans le monde » (J. Schérer, « Aristote », *in Dictionnaire encyclopédique du théâtre*, Bordas, 1991).
Le *pathos*, pour Aristote, ce sont les sentiments que doivent éprouver les spectateurs : crainte et pitié ; la crainte : « une peine ou un trouble consécutifs à l'imagination d'un mal à venir » ; la pitié : « une peine consécutive au spectacle d'un mal destructif ou pénible, frappant qui ne le méritait pas, et que l'on peut s'attendre à souffrir soi-même » (Aristote, *Rhétorique*). Ces sentiments (accompagnés de plaisir), les spectateurs les éprouvent pour les personnages tombés dans le malheur à la suite d'une faute (*amartia*).
Aristote n'a jamais parlé d'identification du spectateur au personnage ; la *catharsis* (purification ou purgation des passions par

le spectacle) en est le contraire, puisqu'elle est précisément le moment esthétique qui apaise les mouvements passionnels du spectateur en montrant la distance qui le sépare du personnage (▶ **Catharsis**). Aristote n'a pas non plus construit comme une camisole de force la règle des trois unités, privilégiant simplement l'unité, comme « d'un beau corps », et la continuité d'une action qui doit, pour faire effet, apparaître comme un tout organique, un et limité. La règle des trois unités a été systématisée à la Renaissance, lors du retour à Aristote, philosophe de la raison.
Brecht*, mais surtout les brechtiens ont construit pour la commodité un monstre nommé aussi Aristote, théoricien du théâtre « digestif » et bourgeois de la fin du XIXe siècle. Ce personnage soutient avec le théoricien du théâtre antique des rapports extrêmement limités et, pour tout dire, imaginaires.
Bibliogr. : Aristote, 1980.

ATTENTE

Au théâtre, comme dans les autres formes de spectacle, la réception est conditionnée par l'horizon d'attente du spectateur (Jauss), c'est-à-dire l'ensemble des codes qu'il connaît. Ce n'est pas le discours seul dont la réception est ainsi conditionnée, ce sont tous les éléments de la représentation, l'ensemble du spectaculaire. Si le spectateur s'attend à tel type de personnage, il s'attend aussi à tel type d'espace, de décor, de costumes. Il y a peu d'années, il était difficile à un enseignant, par exemple, de comprendre et de faire comprendre que l'espace de la tragédie classique n'est pas mimétique, qu'il ne représente aucun lieu dans le monde, ni corridor, ni antichambre de palais. ▶ **Spectateur, Écriture théâtrale.**
Bibliogr. : Jauss, 1978.

BRECHT (BERTOLT) (AUGSBOURG, 1898 - BERLIN, 1956)

Auteur dramatique et théoricien du théâtre, d'importance fondamentale autant par son travail de créateur que par son apport théorique. En tant que théoricien, il oppose à un théâtre de la suggestion, de l'effet pathétique, de la sidération et de l'« identification »*, un théâtre de la réflexion critique. Prenant en compte les

deux volets du théâtre, la fiction et la performance scénique, il se sert perpétuellement de l'une pour mettre l'autre à distance : il utilise tout autant la fiction pour donner sens au spectacle scénique, que le théâtre, c'est-à-dire la scène, pour instaurer la distance critique. Tel est le sens de la distanciation, de la *Verfremdung* brechtienne, qui ne signifie pas tant « distanciation » qu'« étrangification », à savoir transformation en « étrange », « étranger » de ce qui est familier et que l'on croit comprendre. Ainsi dans *L'Exception et la Règle*, personne ne peut croire qu'un serviteur maltraité ait un geste spontané de bonté envers son tyran. Les procédés de la distanciation sont confiés au metteur en scène, invité à mettre l'accent sur tous les signes du théâtre – (cyclorama blanc, écriteaux indiquant le lieu et le temps) –, et à l'acteur, qui doit se montrer montrant les divers aspects de son rôle, et indiquer avant toute chose le *gestus** fondamental de ce rôle, exhibant ainsi le lien physique entre l'individuel et le social.
Du point de vue de la fiction*, Brecht attache à l'action autant d'importance que le fait Aristote ; toutefois il montre dans la fable* non seulement l'histoire racontée, mais le lien que soutient la fable avec la totalité de la situation historique et sociale. Cependant il ne faut pas oublier que, pour Brecht (sinon pour les brechtiens), le théâtre n'a pas pour but une leçon politique ou historico-politique, mais le plaisir, condition *sine qua non* de tout effet et donc de toute « leçon », et que le travail de la distanciation pour le comédien ne saurait se comprendre hors de la relation dialectique qu'il soutient avec le travail de l'identification. La théorie brechtienne est donc celle d'un rapport permanent, d'une sorte de battement plaisir/réflexion critique – mais aussi identification/distance.
Quant aux grandes œuvres dramatiques de Brecht, paradoxalement, elles ont toutes pour centre un héros auquel est posée une question dont la réponse est loin d'être évidente. En ce sens, c'est un théâtre non pas de la leçon politique, mais du tragique*, étant bien entendu que tout grand théâtre tragique appelle la lecture critique et la réflexion du citoyen. *La Bonne Ame de Setchouan*, *Mère Courage et ses enfants*, *Le Cercle de craie caucasien*, autant d'œuvres posant un problème qui ne peut être résolu qu'en « changeant le monde » : « Va, cher spectateur, cherche une solution, il le faut, il le faut ! » dit la postface de *La Bonne Ame...* Telle est la leçon politique de Brecht, esthétique et politique de la théâtralisation et du détour.

On comprend alors comment et pourquoi Brecht à la fois témoigne et plaide pour un théâtre épique, intégrant action et histoire, et comment il est en même temps un grand dramaturge tragique.
Bibliogr. : Brecht, 1979 ; Dort, 1960.

CARACTÈRE

Le mot, qui n'est plus guère employé que dans l'expression « comédie de caractère », est une traduction du mot grec employé par Aristote, *ethos*, en opposition à *mythos*, la fable*, c'est-à-dire l'histoire racontée. Le mot désigne, de façon assez vague, une configuration de traits psychologiques et comportementaux, désignant par exemple un type, le héros violent, ou l'avare ou la jeune victime. Le mot est resté vague et quelque peu sorti de l'usage, parce qu'il peut désigner aussi bien un rôle codé (un stéréotype) qu'un personnage doué de caractéristiques fortement individuelles.

CATASTROPHE ▶ DÉNOUEMENT

CATHARSIS

Le mot grec, quelque peu équivoque, signifie épuration, purification, mais aussi dans un contexte médical, purgation, sens auquel il a été maladroitement réduit, mais dont il garde certaines connotations. Aristote en fait en une phrase la théorie : « La tragédie est une imitation [*mimesis**] d'une action [...] qui par le moyen [*dia*] de la pitié et de la crainte produit l'épuration [*catharsis*] de telles émotions [*pathemata*] » (*Poétique*, VI). Il s'agit donc :
a) de produire l'imitation d'événements ou d'éléments qui provoquent des émotions (des « passions »), en l'occurrence crainte et pitié ;
b) d'obtenir par ce spectacle une sorte de libération des mêmes émotions (passions).
Le travail du poète tragique fabrique un modèle émotionnel, lequel a successivement (ou simultanément ?) un double effet : exciter l'émotion et la « purifier ». On voit que c'est l'opération esthétique qui produit l'effet cathartique. Difficile de dire si

cette « épuration » épure aussi les autres passions du spectateur, si l'effet cathartique est une « purge » libératoire, une purification morale. C'est l'interprétation de la catharsis que donne l'âge classique, mais aussi Schiller (préface des *Brigands*) : « Le but de la tragédie est d'établir en nous cette liberté d'esprit par des voies esthétiques, lorsqu'elle a été violemment suspendue par les passions. » C'est autour de cette question que s'accroche le problème irritant de la moralité du théâtre : la catharsis a-t-elle un effet apaisant sur tout l'univers passionnel du spectateur ? Ou à l'inverse n'est-elle qu'un soulagement passager, qui ne compense pas l'effet dissolvant produit par la peinture des passions ? On a reconnu la thèse chrétienne et particulièrement janséniste. A l'ère moderne, Goethe, mais surtout Nietzsche reviennent (avec des nuances) à la signification et au fonctionnement esthétique de la catharsis. Mais comment agit l'esthétique tragique ? Par la grandeur de l'action (« noble, choisie », dit Aristote) ? Par la beauté poétique de l'expression ? Ou par d'autres moyens, non plus esthétiques, mais psychiques ? ▶ **Spectateur, Dénégation**.
Bibliogr. : Aristote, 1980.

CENSURE

Le théâtre a toujours été soumis à la censure de l'État, la société l'ayant constamment tenu pour dangereux ; comme si l'« imitation » (▶ **Mimesis**) des actions des hommes apparaissait le résultat d'une opération magique et (ou) comme si la représentation du pouvoir conduisait tout naturellement à la réflexion sur les pouvoirs – réflexion à effet subversif. De là la surveillance perpétuelle des autorités. Les arguments de la censure peuvent être religieux, politiques ou simplement moraux ; on peut censurer au choix la représentation d'un rite, le spectacle d'un régicide ou simplement celui des jeux de l'amour ; on peut même censurer parce que l'un des artistes, le scripteur, le metteur en scène ou l'acteur vedette est suspect au pouvoir. Même dans les États dans lesquels la censure est légalement abolie, elle peut toujours être ponctuellement rétablie pour « menace à l'ordre public » ou pour « outrage aux bonnes mœurs ». Il existe aussi une censure indirecte, qui est le fait de la presse ou des médias, dont le silence ou la condamnation sont une censure.

CHŒUR

Le chœur est une invention de la tragédie grecque. Il est composé de personnages représentant une communauté : communauté des citoyens de Mycènes dans l'*Agamemnon* d'Eschyle, ou de victimes (*Les Troyennes*, d'Euripide). Le chœur chante, danse, parle ; un interprète central, le coryphée, dialogue avec les protagonistes. Quant au chœur dans son ensemble, qu'il chante ou parle, son énonciation s'adresse à soi-même, c'est-à-dire avant tout au spectateur. Le chœur se présente donc comme intermédiaire entre les protagonistes et le public, manifestant ainsi de manière sensible la double énonciation* propre au théâtre.
La fonction chorale peut dans d'autres formes de théâtre se manifester indirectement :
1) par des personnages médiateurs (« raisonneur » ou valet) ;
2) par des « moments lyriques », ainsi chez Brecht, les *songs* (chansons en général chantées par le protagoniste et marquant des sortes de pauses lyriques et réflexives). Chaque fois, le chœur indique une distance par rapport à l'action qu'il exprime : par la parole, le chant ou la danse, les sentiments provoqués par le spectacle de l'action, ou par la parole et le chant, les réflexions qu'elle inspire ou les conflits de valeur qu'elle contient.
Bibliogr. : J. de Romilly, 1970 ; Vernant-Vidal-Naquet, 1974, 1986.

CODE

Un code est un ensemble de contraintes qui lient un système de signes, de façon à permettre la réception du message. Ainsi les lois définissant et fixant les langages musicaux. Dans la mesure où le théâtre est une pratique matérielle et dépendante de l'ensemble du corps social, il est soumis à des lois, à la fois contraignantes et relativement floues. Beaucoup plus que la poésie lyrique, par exemple, dont le caractère de production individuelle est relativement préservé, le théâtre est une production sociale, les systèmes de signes qu'il produit étant soumis à des codes. Outre les contraintes proprement matérielles et directement sociales, il faut, en ce qui concerne le théâtre, et plus généralement les pratiques artistiques, considérer la notion de code en un sens plus large et plus vague que celui de la linguistique et même de la sémiotique : comme un système de règles permet-

tant la compréhension de tel ou tel « mode d'expression », c'est-à-dire un système complexe de signes de substances de l'expression variées (visuels, linguistiques, etc.). Il faut donc l'entendre au sens plus général de système de correspondances entre plusieurs systèmes de signes.
Le théâtre est donc non seulement soumis à une série de codes et ne saurait être joué ni perçu en dehors de ces codes, mais il ne saurait même être conçu ni écrit en dehors d'eux : un auteur dramatique écrit pour la scène de son temps, pour l'espace scénique et les moyens techniques qui sont possibles à son époque : codes de la scène, du mode de jeu, des convenances spécifiques à chaque époque.
Il y a des formes théâtrales soumises à des codes très précis et contraignants ; ainsi l'opéra chinois ou le kathakali indien (théâtre traditionnel de l'Inde du Sud), dans lesquels chaque signe (maquillage ou gestuelle) a une signification bien précise. Dans le théâtre occidental, les signes ont une signification plus floue, les codes sont donc moins contraignants ; mais dans certains cas (celui de la *commedia dell'arte* par exemple, ou du théâtre de boulevard), il existe des types codés : Arlequin ou la bonne stupide avec son tablier blanc. Dans le théâtre contemporain, les « règles de jeu » ont tendance à s'assouplir beaucoup, mais elles correspondent toujours à une série de lois souvent non écrites ; par exemple à l'heure présente, celle de la contrainte économique qui ne permet guère un trop grand nombre de personnages : ainsi fait-on jouer plusieurs personnages par le même comédien.

COMÉDIE

Le mot comédie a désigné d'abord en français toute forme d'œuvre théâtrale, qu'elle soit comique ou tragique. Mais l'idée même de comédie comme genre vient d'Aristote, qui définit la comédie comme « une imitation d'hommes de qualité inférieure » (*Poétique*, VI).
On aurait tendance à définir la comédie par le comique ; c'est ce que tente de faire Aristote. En fait ce n'est guère possible, vu la place extrêmement variable que tient le comique dans la comédie et le fait que le comique varie, lui aussi, selon les cultures. En réalité, le caractère le plus net et le plus général de la comédie est qu'elle prend ses sujets et ses personnages dans la vie privée ; à la

limite, il peut y avoir dans la comédie présence de souverains et de princes, comme chez Shakespeare, dans la mesure où le domaine public, celui de l'État et du pouvoir, n'est pas directement touché. Corollaire : la comédie est rarement liée à la légende, à la fable, à l'Histoire – *Amphitryon* est une assez remarquable exception, mais c'est à peine une comédie.
La comédie raconte l'histoire d'un homme, plus rarement d'un groupe d'hommes, dont le comportement conduit à un déséquilibre. Parfois, le déséquilibre est le fait d'une situation qui provoque le rire (la présence de jumeaux par exemple, produisant des erreurs sur la personne). On sait que le rire est une défense contre l'angoisse ; et, d'une façon très générale, la comédie est le lieu de tous les pansements possibles contre l'angoisse – non sans permettre au spectateur de passer aussi par l'angoisse : « La tragédie joue de nos angoisses profondes, la comédie de nos mécanismes de défense contre elles » (Mauron).
De là vient le statut subtil de la comédie, et l'éventail presque infini de ses possibilités. Axée sur la peinture de la réalité quotidienne, elle la bafoue le plus souvent par l'optimisme de son dénouement. Ce dénouement est toujours ambigu : il respecte et fait triompher les valeurs de la société et, en même temps, comme le montre son meilleur analyste, Charles Mauron, il manifeste la victoire d'Éros sur ladite société, et fait la part belle aux « fantaisies de triomphe » qui voient l'amour des jeunes gens vaincre l'argent et la prudence des parents.
La souplesse de la comédie, la nécessité de l'inventivité dans les sujets en font le domaine par excellence de l'imagination créatrice. Inversement, elle pose au metteur en scène le problème renouvelé du référent*, dans la mesure où son domaine étant la réalité quotidienne, il lui faut à chaque fois trouver un univers référentiel qui convienne à un public nouveau.
Bibliogr. : Mauron, 1964 ; Aristote, 1980.

COMÉDIEN ▸ ACTEUR

COMIQUE

Rendre compte du comique est extraordinairement difficile, d'autant plus difficile que les exemples au théâtre en sont toujours complexes et mobiles, historiquement incertains et fragiles : ce qui fait rire une époque n'est pas nécessairement ce qui en fait rire une autre.

Quelques définitions. Aristote : « Le comique consiste en un défaut ou une laideur qui ne causent ni douleur ni destruction ; un exemple évident est le masque comique : il est laid et difforme sans exprimer la douleur » (*Poétique*, V). Bergson : « Du mécanique plaqué sur du vivant. » Freud, à propos du « mot d'esprit » : « Une économie d'énergie. » Mais d'une façon plus générale et plus profonde, Freud, suivi plus tard par Mauron, montre dans le rire la libération de l'angoisse ; il rappelle le gros rire du nourrisson, quand réapparaît soudain maman qui s'était cachée ou éloignée. Certes, on peut voir dans le comique de jeux de mots ou de « mots d'esprit » l'économie d'énergie dont parle Freud, mais surtout on peut repérer dans toutes les situations comiques un élément générateur d'angoisse, dont nous libèrent justement à la fois la détente comique et le fait que c'est un autre qui en fait les frais : c'est « du théâtre ».

D'où la présence d'un « rire de supériorité », quand nous voyons l'autre embarrassé par un obstacle, prisonnier de son idée fixe, égaré par un quiproquo. D'où, le comique de toutes les variétés de « chutes », puisque ce n'est pas nous qui tombons, et que le comédien, en principe, ne va pas se casser la jambe... ou se suicider ; s'il le fait, c'est que nous sommes sortis du théâtre. Avec, pour les spectateurs, toutes les nuances du sentiment – de la sympathie fraternelle à la gausserie supérieure et destructrice. Dans certains cas, ceux de la comédie satirique ou politique, le personnage excitant le rire est la proie d'une erreur sociale ou politique, d'un « préjugé », dont le dénouement devra montrer l'inanité, impliquant de ce fait une critique sociopolitique.

Variétés de la comédie : comédie dite « de caractère », comédie « d'intrigue », selon que l'auteur privilégie (ou a l'air de privilégier) l'exhibition d'un « caractère »*, d'une passion (l'avarice par exemple, ou la gourmandise), ou qu'il s'amuse à nouer un récit compliqué (▶ **Intrigue**) ; comédie de mœurs quand il étudie un trait contemporain, ce type de distinction étant relativement vague et peu opérant.

COMMEDIA DELL'ARTE

Genre comique italien dont la durée fut de deux siècles environ (fin XVIe-fin XVIIIe), mais dont les procédés et le style n'ont pas cessé d'intéresser et d'avoir de l'influence, y compris sur les metteurs en scène contemporains. C'est un théâtre où évoluent une série de personnages codés dont le plus célèbre est Arlequin ; certains sont masqués, comme Arlequin qui porte le demi-masque* laissant la bouche visible, d'autres non, comme les jeunes premiers. La caractéristique de la *commedia dell'arte* est d'être un théâtre d'improvisation : à partir d'un canevas simple, les comédiens improvisent, c'est-à-dire meublent le scénario d'éléments scéniques, de petites scènes ou de *lazzi*, tous bien entendu préparés à l'avance. Au gré de leur fantaisie, de leurs possibilités ou du public, ils puisent dans leur stock, donnant à leur performance* une variété, un imprévu que leur envient les artistes contemporains.

COMMUNICATION THÉÂTRALE

La communication au théâtre est un phénomène complexe, infiniment plus que dans tous les autres arts.
1) Il y a communication entre un émetteur A, le scripteur du texte (ou canevas, ou scénario), et un récepteur A', les spectateurs, le public.
2) La communication entre A et A' se fait à l'aide de toute une série de messages médiats, lesquels ont pour source une série d'émetteurs B1, B2, B3..., qui sont le metteur en scène*, le scénographe*, l'éclairagiste*, les comédiens*. A proprement parler, on ne sait plus qui est l'émetteur principal, l'auteur, ou le metteur en scène ou les comédiens. Cette indécision est la base même de la communication théâtrale ; c'est elle qui fait du théâtre non pas un médium par lequel un individu parle à un autre individu, mais une activité par laquelle une collection d'artistes, unis dans le même projet, parle à une collection d'individus unis dans la même activité, la réception du théâtre.
3) La communication théâtrale se fait aussi sur un plan interne : elle est communication entre les émetteurs B... que sont les comédiens, qui communiquent entre eux par parole et par geste. Ce qui fait des spectateurs des récepteurs qui reçoivent le spectacle d'une communication interne, communication dont ils sont les récepteurs « indirects » : ils peuvent juger et comprendre un procès de communication dans lequel ils ne sont pas impliqués ; telle est l'origine de la vertu critique du théâtre.
Le spectateur reçoit donc deux types de messages : les uns (ceux

provenant de l'ensemble de la représentation A) dont il est proprement le récepteur ; d'autres (et certains se confondent avec les premiers) dont il est à la fois le récepteur et le spectateur : ce sont ceux qui montrent les rapports entre les personnages.
▶ **Énonciation, Spectateur.**

CONVENTION ▶ CODE

COSTUME

Le costume au théâtre constitue un système de signes qui a trois fonctions : 1) dire le théâtre en exhibant un élément essentiel (sauf exception) de la différence entre le théâtre et la vie de tous les jours ; 2) dire l'individu dans la particularité de la personne, avec une insistance sur le corps, ses particularités anatomiques et sa gestuelle ; 3) assurer ou conforter la référence*, référence à l'histoire, à la classe sociale, ou même à l'histoire du théâtre (costumes de types codés). Le costume dira le lieu et le moment où se déroule l'action. Il se peut – et c'est un élément intéressant de la différence entre le texte écrit et le texte spectaculaire – que la référence que propose le costume soit différente de celle induite par le texte (ainsi une œuvre de Molière en costumes modernes). Le jeu avec la référence dans le domaine du costume est particulièrement intéressant dans la mesure où il peut produire des sens inattendus, un autre rapport par exemple au politique, au social, à l'historique ; un autre rapport aussi à l'esthétique : ainsi la richesse à la fois sémantique et esthétique des costumes japonisants pour *Richard III* (de Shakespeare, monté par Mnouchkine).
C'est que le costume, outre ses fonctions dans le récit, est aussi un élément dans les constructions artistiques que propose la scène, en relation de formes, de couleurs, de mouvements avec les éléments du décor ; le costume est bien évidemment une part dans la construction des images scéniques.
Le système des signes produits par le costume apparaît une médiation entre les signes provenus de l'espace scénique* et ceux liés à la figure du comédien. On ne s'étonnera pas de constater son importance d'une part dans les théâtres traditionnels où chaque élément du costume est étroitement codé et porte une signification précise (théâtre japonais, chinois, indien, indoné-

sien), et d'autre part, à l'inverse, dans le théâtre contemporain où la souplesse des codes autorise toutes les inventions.
Sans doute faut-il faire leur place aux diverses formes de nudité ou quasi-nudité (la nudité est un signe fort), ou à cet autre non-costume qu'est le corps entièrement revêtu d'une anonyme étoffe noire (Living Theater).

DÉCOR, DÉCORATION

Le mot « décoration » est archaïque, mais aussi peut-on considérer qu'il désigne autre chose (▶ **Espace**). Le décor dépend étroitement des formes de l'espace. Dans le théâtre antique ou même élisabéthain, c'est l'architecture qui représente véritablement le décor. A partir de la Renaissance, les formes de l'espace supposent une toile peinte et quelques éléments. Dès le milieu du XVIIIe siècle, le décor devient de plus en plus l'évocation mimétique et décorativiste d'un morceau du monde ; le décor alors se met à faire partie de l'action, qui ne se comprend pas hors des déterminations spatiales et même du mobilier prévu par l'auteur et réalisé par le décorateur : ainsi *Le Mariage de Figaro*, de Beaumarchais, ou le lit du vaudeville et de la comédie bourgeoise. La mise en scène contemporaine, en vidant l'espace, a donné au mot décor un autre sens et un autre contenu.

DÉNÉGATION

La dénégation théâtrale est liée au fonctionnement fondamental du théâtre, ce fonctionnement contradictoire qui consiste à présenter sous forme matérielle et concrète une action et des personnages de fiction, les signes théâtraux étant homomatériels à ce qu'il représentent dans le monde : un être humain est représenté par un être humain. La dénégation est le fonctionnement psychique qui permet au spectateur de voir le réel concret sur la scène et d'y adhérer en tant que réel, tout en sachant (et en n'oubliant que pour de très courts instants) que ce réel n'a pas de conséquence hors de l'espace de la scène. Mais – chose capitale – ce qui est soumis à la dénégation au théâtre n'est pas la totalité de ce qui est présenté, ce n'est que le fictionnel, non les vérités historiques ou universelles.
Le signe scénique est affecté du signe – (moins), comme s'il était devenu négatif. Les conséquences en sont considérables. C'est

ce phénomène qui fait paradoxalement la force psychique du théâtre, puisque le spectateur est contraint à un double travail : percevoir un réel comme réel, et savoir en même temps que ce réel qu'il lui faut prendre en considération n'interfère pas avec son existence à lui, n'a pas de rapport direct avec lui. Tout théâtre, fût-il le plus « digestif », comme dit Brecht, le plus orienté vers le divertissement, implique par nature un travail de réflexion : c'est réel, mais c'est un réel ailleurs ; c'est réel, mais ce n'est pas pour moi – ni pour personne de ma connaissance ; c'est réel, mais c'est un réel construit, un artefact. On comprend alors comment le travail et la fonction esthétiques du théâtre en font du même coup un objet de réflexion critique ; plus le travail esthétique est grand et réussi, plus la réflexion critique trouve de place, mieux on voit que c'est un artefact. Le va-et-vient entre la réception passive et la distance critique est cause pour le spectateur à la fois de son plaisir et de ses possibilités de pensée.
Ni le cinéma, ni la télévision n'ont les mêmes vertus : il n'y a pas de dénégation de l'image ; il n'y a pas à la dénier, puisqu'elle n'est ni directe, ni concrète ; on ne peut que la subir, puisqu'elle est image et déjà virtuelle ; on ne peut ni lui échapper, ni la juger. On voit là l'origine de certains déboires des médias.
Ne pas confondre dénégation et déni : le déni est cette forme de refus par lequel la conscience tend à échapper à un réel intolérable ; si le déni avait une formulation, on pourrait le gloser ainsi : « Je n'ai pas vu ce que j'ai vu ; j'ai bien vu quelque chose, mais je ne veux pas avoir vu. » Le déni trouve rarement sa place au théâtre, à qui il n'est guère permis de présenter des spectacles réellement insupportables (un contre-exemple célèbre, *Tombeau pour cinq cent mille soldats* de Guyotat, monté par Vitez, 1982).

DÉNI ▸ DÉNÉGATION

DÉNOUEMENT

1) Le dénouement est le dernier moment de l'action, celui où tous les conflits se résolvent, où le « nouement » se dénoue, où en principe le sort de chacun des personnages est fixé. Telle est du moins la conception classique depuis Aristote, qui fait du dénouement l'une des trois parties de l'action ; le dénouement signifiera alors soit une clôture de l'action, soit le moment où le déséquilibre initial est rattrapé par la destruction générale ou

plus rarement par un nouvel équilibre (chez un dramaturge comme Corneille par exemple).
2) Il y a des dramaturgies au contraire qui refusent la clôture et laissent le dénouement ouvert ; c'est le cas de celle du XXe siècle, sauf exception, où les auteurs maintiennent le spectateur incertain de la route que prendront les personnages. Brecht va plus loin, qui laisse au spectateur le soin de dénouer l'énigme, de trouver la solution du problème ; ainsi, à la fin de *La Bonne Ame de Setchouan*, le spectateur est interpellé : « Va, cher spectateur, trouve une solution, il le faut, il le faut ! » Même fin dans *La Résistible Ascension d'Arturo Ui*. Un autre faux dénouement, c'est l'« éternel retour » cher à Beckett, où la fin du second acte rattrape exactement la fin du premier : les clochards reviendront-ils à la même place attendre Godot ? la « partie » finira-t-elle ou le faux départ de Clov recommencera-t-il éternellement ? (*En attendant Godot* et *Fin de partie*). Il arrive même que l'énigme posée ne soit pas résolue, qu'on ne sache jamais qui a fait l'action, commis le crime (chez Michel Vinaver par exemple, dans *L'émission de télévision).*
3) Dans les grandes dramaturgies « baroques » (Shakespeare, Calderon) souvent le dénouement apparemment complet, ouvrant une interrogation nouvelle, fait faire à l'action un nouveau bond en avant, laissant l'avenir en proie à une autre interrogation (*Hamlet, Le Roi Lear,* de Shakespeare, *La vie est un songe*, de Calderón), suscitant la perspective d'un nouvel ordre des choses.

DIALOGUE

A. Fonctions du dialogue de théâtre

1) Le dialogue au théâtre est soumis à un contrat : nous sommes au théâtre. Le dialogue n'est donc pas destiné au spectateur, qui l'entend « en contrebande » et qui, de ce fait, n'a pas à répondre ; le phénomène de la dénégation* fonctionne, mais bien évidemment il ne fonctionne qu'à la représentation, et de toute manière il ne dénie que le fictionnel.
2) Le fait de la double énonciation* se retrouve dans le dialogue de théâtre : tout énoncé dans le dialogue a deux émetteurs, le scripteur et le personnage auquel il a délégué sa voix, et deux récepteurs, l'allocutaire-personnage (son « autre ») et le spectateur, qui est donc aussi présent de quelque manière à l'échange,

quoiqu'il ne puisse y intervenir. La représentation peut instaurer tout un jeu (au départ à la fois scriptural et verbal) entre l'un et l'autre récepteur, le comédien pouvant toujours adresser au spectateur ce qui est destiné à l'autre personnage – ou clamer les apartés*.

3) Les conditions d'énonciation* indiquées par l'ensemble des didascalies* précisent, au-delà de la signification « évidente » des énoncés, le sens qu'ils prennent dans la situation* : un « je t'aime ! » pouvant être enamouré ou exaspéré... Conditions d'énonciation elles aussi doubles, à la fois fictionnelles et scéniques : la scène ne raconte pas toujours ce qui est prévu par le texte, la mise en scène pouvant changer les conditions d'énonciation fictionnelles prévues par les didascalies pour lui en substituer d'autres, qui permettraient au dialogue de former un sens plus clair pour le spectateur ou plus conforme à l'ensemble du projet du metteur en scène.

4) Chaque énoncé dans le dialogue possède une ou plusieurs des six fonctions, selon l'analyse de R. Jakobson (*Essais de linguistique générale*) : la fonction phatique, établissant un contact avec l'allocutaire : « bonjour ! » ; une fonction référentielle ou informante, apportant à l'allocutaire la connaissance de faits qui lui importent (liée donc au monde objectif) ; une fonction expressive, liée au locuteur et traduisant ce qu'il ressent ; une fonction conative, dirigée vers l'allocutaire et orientant l'action de ce dernier ; une fonction poétique, tournée vers le message lui-même, et réglant l'effet qu'il produit ; enfin une fonction métalinguistique, chargée d'assurer que le code de l'un et l'autre locuteur est bien le même : « parlons-nous bien de la même chose ? ».

5) Une autre analyse de ce qui est l'essentiel du fonctionnement du dialogue de théâtre, c'est-à-dire son aspect pragmatique, c'est la théorie des théoriciens de l'école dite d'Oxford, Austin, Searle, à qui il faut ajouter Ducrot. Cette théorie prend en compte la parole-acte : « Parler, c'est faire, disait Barthes, le Logos prend les fonctions de la Praxis et se substitue à elle » (1965). Barthes réfère la chose à Racine, mais ce n'est pas seulement le langage théâtral, c'est tout le langage qui est parole-acte. Il faut donc distinguer : a) le locutoire, qui correspond au contenu explicite des énoncés (par exemple un récit, une évocation de sentiment, un exposé d'idées) ; b) le perlocutoire, effet (émotionnel par exemple) produit par l'énoncé sur les autres personnages et sur le spectateur ; c) l'illocutoire.

C'est l'illocutoire qui est proprement la force du langage-acte. Au départ, on peut remarquer qu'il existe une catégorie de verbes qui font l'action même qu'ils désignent : on ne peut dire « je promets » sans promettre, ou « je maudis » sans maudire, ni même « je nie » sans nier ; ce sont les performatifs. Mais on s'aperçoit que la performativité, c'est-à-dire le pouvoir de faire l'action par la parole, n'est pas réservée aux verbes performatifs : il y a dans tout énoncé une composante performative ; chose évidente pour tout énoncé à valeur conative (selon la terminologie de Jakobson), mais qui ne l'est pas moins pour un énoncé à valeur assertive (qui dit le vrai et le faux). Parler c'est donc toujours agir sur l'allocutaire. Mais on n'agit pas sans des conditions de parole : interroger, c'est en même temps affirmer qu'on a droit d'interroger ; exprimer une vérité ne se peut que si l'on a le droit et la possibilité de la dire, ou si l'autre a le pouvoir de l'entendre : ainsi, de la parole pédagogique. C'est que tout acte de langage présuppose entre interlocuteurs un contrat, qui donne au locuteur un certain pouvoir de parler, pouvoir qui lui est implicitement et effectivement accordé par son allocutaire, par le fait qu'il se tait ou qu'il répond. Tout échange langagier suppose donc la constitution, la prolongation, la modification ou la rupture d'un contrat langagier. Le dialogue de théâtre est un échange de paroles reposant sur les mêmes lois que tout échange de paroles dans la vie (c'est le domaine dans lequel la mimesis* est irrécusable). Il est donc intéressant d'observer la suite des actes de langage du dialogue, et les contrats qui les sous-tendent, ce qui permet non seulement une lecture du dialogue, mais une prise en compte de tout le mouvement de l'action.

D'autant qu'il existe des actes de langage indirects, qui agissent par des moyens linguistiques détournés ; ainsi peut-on ordonner de fermer une fenêtre en disant simplement : « Il fait froid ici. » « Dans les actes de langage indirects, le locuteur communique à l'auditeur davantage qu'il ne dit effectivement, en prenant appui sur l'information d'arrière-plan, à la fois linguistique et non linguistique qu'ils ont en commun » (Searle).

6) Une telle analyse réclame : a) une prise en compte des présupposés qui sous-tendent le dialogue (▶ **Non-dit**) ; b) au-delà (ou en deçà) du pragmatique, un retour au linguistique, c'est-à-dire à l'analyse du discours du personnage* (avec un intérêt particulier réservé aux pronoms personnels, indicateurs de l'échange interpersonnel, et à tous les modalisateurs).

B. Formes du dialogue

1) Nombre des locuteurs : dans le théâtre antique le dialogue se fait d'abord entre un protagoniste et le chœur, à quoi viennent s'adjoindre un autre protagoniste (Eschyle), puis un troisième (Sophocle) – voir Aristote, IV. Le petit nombre des « parlants », sinon des présents, est une des règles non écrites de la tragédie classique. Inversement le drame baroque, Shakespeare et les dramaturges du *Siglo de Oro* espagnol se permettent des échanges plus complexes avec un nombre de partenaires plus élevé. C'est une des nouveautés de Beaumarchais d'abord, puis du drame romantique, que le partage du discours entre des voix multiples, souvent entrelacées.

2) Rythme de l'échange : il peut donner lieu à de grandes « tirades »*, à des « discours »* alternés, souvent à contenu intellectuel, ou à des échanges affectifs ou dramatiques plus rapides, voire à des stichomythies, échanges alternés vers à vers. Le rythme de l'échange peut être inégal selon les interlocuteurs : un protagoniste parlant à un confident ou donnant des ordres à un subordonné a un rythme langagier plus soutenu, il parle davantage, en répliques plus longues. On voit comment les formes du dialogue dépendent du/des contrat(s) langagier(s). ▶ **Énonciation, Écriture, Personnage.**

Bibliogr. : Aristote, 1980 ; Austin, 1970 ; Barthes, 1963 ; Ducrot, 1972, 1984 ; Searle, 1972.

DICTION

La diction est dans la partie phonique du travail de l'acteur un élément décisif. Elle appartient à la part paralinguistique du discours et concerne la prononciation de la langue : rythme, insistance sur les consonnes ou mise en valeur des voyelles, accentuation locale (travail sur la syllabe tonique). La diction du comédien fait partie de son jeu* avec des déterminations triples : la part individualisante, qui renvoie à lui-même, la part de la construction du personnage (dépendant du projet de mise en scène) et de sa détermination sociale, enfin le code théâtral.

DIDACTIQUE (THÉÂTRE)

Directement ou indirectement, le théâtre a toujours pour ambition proclamée d'« éclairer ». La tragédie grecque (et même la

comédie) avait pour mission l'éducation du citoyen d'Athènes en tant que citoyen et en tant qu'homme privé ; les Jésuites faisaient du théâtre dans leurs collèges une distraction moralisatrice, et c'est ce que pensait aussi Madame de Maintenon pour la maison de jeunes filles de Saint-Cyr ; même le grand Arnauld, se défiant pourtant du théâtre en tant que janséniste, voulait bien dire de la *Phèdre* de Racine qu'elle était « toute chrétienne ». Au siècle suivant, Diderot, Lessing, Schiller tiennent que le théâtre peut « moraliser les passions ». Hugo veut mettre dans son théâtre « une pensée morale et consolante ». Dès la fin du XIXe siècle et surtout après la révolution d'Octobre, on pense que le théâtre peut jouer un rôle d'enseignement en matière socio-politique, qu'il peut aider à la révolution et « contribuer à former l'homme nouveau » (Meyerhold).
Brecht fonde la théorie et la pratique d'un théâtre didactique, qui, en fait, n'est pas là pour donner des leçons directes, mais pour éveiller la conscience du spectateur et le conduire à se poser des questions concrètes sur l'organisation et le fonctionnement de la société.
Du fait que le théâtre est constamment lié à la cité, la tentation didactique est toujours présente, le plus souvent comme un vœu pieux – dans le meilleur des cas (la tragédie antique, Brecht) comme mise en éveil de la conscience critique. Au reste, tout grand théâtre contribue en permanence à cet éveil. La difficulté du théâtre didactique est que la dénégation* embarque avec elle la leçon : on ne peut pas distribuer des vérités par le moyen du théâtre, puisque le théâtre, lieu d'un réel, est aussi le lieu du « non-vrai ». Toute « vérité » au théâtre ne pouvant être délivrée que par des voies indirectes, métaphoriques, poétiques. De là les déboires bien connus du théâtre-vérité ou du théâtre d'agit-prop.
Bibliogr. : Meyerhold, 1973 ; Brecht, 1979.

DIDASCALIES

1) Le mot désigne tout ce qui dans le texte de théâtre n'est pas proféré par l'acteur, c'est-à-dire tout ce qui est directement le fait du scripteur. Le mot grec désignait les cahiers de consignes données aux acteurs avant la représentation.
Les didascalies comprennent les indications scéniques proprement dites, c'est-à-dire les indications de lieu et de temps, à quoi

s'ajoutent celles données au comédien (concernant parole et gestuelle), et surtout ce qui divise le discours parlé total de l'œuvre, c'est-à-dire l'indication du nom du personnage devant le texte qu'il doit dire. La didascalie comprend donc tout ce qui permet de déterminer les conditions d'énonciation* du dialogue (plus généralement du discours théâtral). Exemples : « la scène représente un salon », ou « X, attendri », ou simplement « X. », précédant une réplique.

Fixant des conditions d'énonciation* imaginaires, les didascalies sont nécessairement ambiguës : elles désignent les conditions d'énonciation (surtout les coordonnées spatio-temporelles) de l'événement fictionnel, mais en même temps les conditions scéniques. Le rôle de la didascalie est donc double : elle est un texte de régie comprenant toutes les indications données par l'auteur à l'ensemble des praticiens (metteur en scène, scénographe, acteurs) chargés d'assurer l'existence scénique de son texte ; elle est aussi un soutien permettant au lecteur de construire imaginairement soit un lieu dans le monde, soit une scène de théâtre, soit les deux à la fois.

Les didascalies définissent donc deux types de conditions d'énonciation, celles proposées par la fiction et celles proposées par la scène : le travail du metteur en scène étant précisément de mettre en rapport le fictionnel et le représenté, on comprend comment les didascalies sont une notion fondatrice dans le travail théâtral.

2) La fonction pragmatique des didascalies est claire : elles ont le statut d'un acte de langage directif ; elles sont un ordre donné au praticien. Elles peuvent donc être glosées non par un verbe au mode indicatif, mais par un impératif : « une table et deux chaises » signifiant non pas « il y a une table et deux chaises », mais « mettez (ou imaginez) une table… » ; « X, furieux » est l'ordre donné à l'acteur de jouer la colère. (Le cas est identique à celui des indications de clefs, de mesure ou de rythme dans une partition musicale.)

3) Si les auteurs sont en même temps les metteurs en scène (Shakespeare ou Molière), ou si les codes* sont étroitement fixés, les indications scéniques sont souvent limitées aux noms des personnages devant les répliques et aux indications en début de texte. Elles se multiplient au XIXe siècle, d'abord parce que l'espace* devient la reproduction souvent décorativiste d'un lieu dans le monde, et que le personnage* est plus individualisé,

mais aussi à la fin, parce que l'autonomie du metteur en scène contraint l'auteur à lui donner davantage de consignes. La représentation contemporaine voit souvent une inflation de l'écriture didascalique, les didascalies servant à construire l'espace particulier qui correspond à tel texte, et l'auteur anticipant souvent sur le metteur en scène, pour écrire un important texte autonome. Dans une dramaturgie du geste, elles peuvent à la limite constituer tout le texte, par exemple Beckett, *Acte sans paroles I* et *II*.
4) Didascalies internes : les indications données au metteur en scène peuvent aussi figurer à l'intérieur du texte (c'est le cas de la plupart des didascalies dans Shakespeare). « Vous toussez fort, Madame, vous plaît-il un morceau de ce jus de réglisse ? » dit Tartuffe à Elmire (Molière, *Tartuffe*, acte IV) : acte scénique, rapports gestuels sont indiqués, avec tressage du scénique et du verbal.
5) Autonomes ou internes, les didascalies ne sauraient programmer le tout des conditions d'énonciation fictionnelles et scéniques ; il y faut la construction d'un texte* didascalique nouveau, celui du metteur en scène et des praticiens.
Bibliogr. : Ubersfeld, 1977, 1995.

DISCOURS

Le « discours » théâtral est encore un de ces mots ambigus qui recouvrent à la fois ce qui concerne le texte et ce qui touche à la représentation, ce qui est de la fiction* et ce qui est de la performance*. L'ensemble du discours théâtral contient tout ce qui provient du texte (didascalies, dialogues, mais aussi monologues, et éventuellement adresses au spectateur) et en même temps le discours du metteur en scène, dans la mesure inévitable où il modifie le discours dont l'énonciateur est le scripteur. Il est difficile, dans le domaine du théâtre, de se servir de la notion de discours, qui reste floue, puisqu'il est quasi impossible de faire autre chose que de reconstituer – non sans arbitraire – une voix ou un discours de la mise en scène. ▶ **Énonciation, Mise en scène, Texte.**

DISTANCE, DISTANCIATION

Le *Verfremdungseffekt* inventé par Brecht (l'effet d'« étrangification ») n'est pas réservé à Brecht ou au brechtisme. Il fait partie du travail de tout acteur, dans la mesure où il ne peut pas s'en tenir à une identification*, impossible à la lettre – mais où il est obligé de montrer ou de laisser voir qu'il est un artiste, avec une personnalité précise, en train d'exercer son art – et dans la mesure où il montre qu'il montre. Le travail de distance chez le comédien est toujours un moment, en relation avec un autre, le moment de l'identification – une part de ce battement identification-distance qui est sa tâche propre, et la source du plaisir du spectateur.

Mais le travail de la distance n'est pas limité au comédien, il peut s'étendre (en fait, il s'étend quasiment toujours) à toute la mise en scène. Chez Brecht, le travail de la distance est une technique destinée à rappeler au spectateur l'« étrangeté » de ce qui lui est proposé, l'anormalité de ce qui lui paraît naturel, la violence, par exemple, ou l'oppression, ou la guerre : « Une reproduction distanciée est une reproduction qui permet de reconnaître l'objet reproduit, mais en même temps de le rendre insolite [...]. L'effet de distance transforme l'attitude approbatrice du spectateur fondée sur l'identification, en une attitude critique » (Brecht, *Petit Organon*, n° 42). Parmi les procédés de distance : insistance sur la fable* épique, exhibition du *gestus** social, travail de la distance par le jeu objectivé, adresses au spectateur et *songs* (chansons « morales »), écriteaux.

En fait, le fonctionnement de la distance excède largement la théorie et la pratique de Brecht ; et sans doute y a-t-il une part de distance dans toute bonne mise en scène*.

Bibliogr. : Dort, 1960 ; Brecht, 1979.

DRAMATURGE

Sens traditionnel : auteur dramatique. Sens moderne, d'origine allemande (*Dramaturg*) : le dramaturge est un assistant au metteur en scène, dont le travail est essentiellement de préparation : choix éventuel de textes, recherche et documentation littéraires et historiques, réflexion sur le sens et l'« idéologie », parfois travail d'« adaptation »* du texte avec modifications plus ou moins importantes, assistance à la mise en scène comme observateur « désintéressé », enfin parfois « animateur » (rédaction de programmes, organisation de séances de discussion). Beaucoup de metteurs en scène ont un dramaturge associé à leurs travaux et auquel ils restent le plus souvent fidèles. D'autres refusent ce personnage (« je ne veux pas d'un préposé à la pensée », disait Vitez), accomplissant eux-mêmes le travail du dramaturge. Le mot et la chose ont été popularisés par les brechtiens, quoique Brecht ait été son propre dramaturge. Il est arrivé qu'on y voie un « préposé à l'idéologie », ce qui est un affaiblissement du terme.

DRAMATURGIE

Traditionnellement, le mot dramaturgie désigne le travail de l'auteur des œuvres théâtrales : sens sorti de l'usage.
Actuellement il est un de ces termes de la théatrologie qui possèdent trois acceptions :
1) La dramaturgie est l'étude de la construction du texte de théâtre : ainsi, *La Dramaturgie classique en France*, de J. Schérer, est l'étude de l'écriture et de la poétique du théâtre classique.
2) Elle désigne l'étude de l'écriture et de la poétique de la représentation.
3) Elle est l'activité du dramaturge* au sens allemand ou post-brechtien. En ce sens, la dramaturgie est l'étude concrète des rapports du texte et de la représentation avec l'Histoire, d'un côté, et avec l'idéologie « actuelle » de l'autre. La dramaturgie est alors l'étude non seulement du texte et de la représentation, mais du rapport entre la représentation et le public qui doit la recevoir et la comprendre : elle implique donc non pas deux éléments, mais trois.

DRAME

Le mot grec *drama* signifie « action ». Le mot drame recouvre d'une façon générale et même confuse toute forme d'action théâtrale.
A partir du XVIIIe siècle, le mot prend un sens plus précis, celui d'une œuvre théâtrale qui, s'éloignant des genres traditionnels, serait une sorte de mixte réaliste de tragédie et de comédie. A partir de là, le mot se rencontre surtout précisé par un adjectif à valeur historique : drame bourgeois, romantique, symboliste, moderne. Pour Hugo, comme pour Hegel, le drame est essentiellement une forme dialectique, un « miroir de concentration » : « Le drame qui fond sous un même souffle le grotesque et le sublime, le terrible et le bouffon, la tragédie et la comédie » (*Préface de Cromwell*).

Dans la critique contemporaine, le mot reste vague et finit par désigner toute forme de théâtre non explicitement comique.
Bibliogr. : Hugo, 1968.

ÉCLAIRAGE

L'éclairage de la scène est l'un des éléments décisifs de l'espace* théâtral. Après les quinquets de l'âge classique (éclairage aux chandelles à lumière dissimulée), deux inventions marquent la naissance du travail de la lumière : d'abord l'éclairage au gaz, puis à l'électricité (XIXe siècle), qui permettent tous les effets, ensuite l'obscurcissement de la salle, dû à Wagner, et qui change la réception du spectacle.
La richesse et la variété extraordinaires des possibilités de la lumière au théâtre (source, intensité, variabilité, couleur, focalisation) font des aventures de la lumière au cours des représentations un « texte » en relation avec les autres éléments phoniques et visuels, et de l'éclairagiste un artiste dont le travail est en symbiose avec celui des autres artistes de la mise en scène : « La lumière participe à part entière à l'effort de production de sens du spectacle », écrit Patrice Trottier, l'éclairagiste des spectacles de Vitez (*Travail théâtral*, 1978). Adolphe Appia montre comment c'est la lumière qui assure la médiation entre l'espace et l'acteur : elle recèle « toute la puissance expressive de l'espace, si cet espace est mis au service de l'acteur » (*Théâtre populaire*, n° 5).
Bibliogr. : Appia, 1954.

ÉCRITURE THÉÂTRALE

A. Écriture textuelle

L'écriture d'un texte théâtral a des traits particuliers :
1) L'auteur dramatique n'écrit pas sans la connaissance du code théâtral de son temps ; comme les autres écrivains, il est lié à l'univers encyclopédique (Umberto Eco) de son spectateur* éventuel, et répond à une demande implicite de sa part ; mais de plus il est tenu d'imaginer le type de théâtre, de mise en scène, de comédien qui jouera son texte (même quand c'est pour en prendre délibérément le contre-pied, comme fait Musset par exemple, écrivant des textes correspondant à une sorte d'épreuve négative du théâtre de son temps).

2) L'auteur dramatique n'écrit pas pour se dire, mais pour proclamer que ce n'est pas lui qui parle ; sa voix ne se fait entendre (directement) que par le biais des didascalies*, elle est déléguée à d'autres bouches : le théâtre est dialogique par nature. On comprend que le « théâtre à thèse » soit un monstre non viable. Ce qui ne signifie pas du tout que l'on ne puisse repérer le projet ou la pensée du scripteur, mais ils n'apparaissent que par la combinaison des signes didascaliques et des voix des personnages. Ils sont une résultante complexe... et incomplète.
3) C'est que par nature le texte produit par le scripteur est incomplet : même si les didascalies donnent tous les détails de la mise en scène éventuelle, encore ne peuvent-elles indiquer ni l'aspect concret du lieu, ni les signes concrets et individuels produits par le comédien, ni rien de ce qui est la part proprement artistique du spectacle : rythmes, couleurs, mouvements, lumières... Aussi le texte de théâtre est-il nécessairement prolongé et proprement accompli grâce à celui de la mise en scène, et aux signes produits par le spectacle.

B. Écriture scénique

Au sens premier de la formule, elle désigne ce texte second que l'on peut appeler « cahier ou notes de mise en scène », que ce texte soit un vrai texte, rédigé, ou simplement paroles et entretiens consignés ou non par l'enregistrement ou la sténographie. En un sens métaphorique, l'écriture scénique s'identifie à la mise en scène, produisant ce « texte spectaculaire » que De Marinis nomme la représentation comme texte, le texte scénique n'étant autre que cette combinatoire de signes qui s'offre au spectateur.
Bibliogr. : De Marinis, 1982.

EMPLOI

Le mot (un peu sorti de l'usage en même temps que la chose) désigne le type de rôle que peut tenir tel comédien dans une forme théâtrale relativement codée : on parlait de l'emploi de roi ou de soubrette, ce qui suppose une écriture théâtrale codée, prévoyant un stock-type de personnages. C'est le cas non seulement de la *commedia dell'arte*, mais du théâtre classique et du théâtre bourgeois des XIXe et XXe siècles. L'émission de télévision *Au théâtre ce soir* en donnait des exemples caricaturaux. Les écoles de théâtre, y compris le Conservatoire, se sont très largement débarrassées de cette survivance.

ÉNONCIATION

On appelle énonciation l'événement singulier que constitue la production d'un énoncé par un sujet. L'énonciation théâtrale est virtuellement orale, et le fait pour l'énoncé d'être consigné entre les pages d'un livre n'empêche pas qu'il soit écrit pour être parlé. La question se pose donc : qui parle l'énoncé d'un texte de théâtre ? La réponse n'est pas simple. S'il s'agit d'un énoncé didascalique, c'est le scripteur qui est le sujet de l'énonciation (l'acte de langage dans la didascalie* étant jussif). S'il s'agit d'un énoncé dans un dialogue, le sujet de l'énonciation est le personnage, mais aussi le scripteur qui a produit l'énoncé et délégué sa voix au personnage. C'est le fait fondateur au théâtre de la double énonciation : tout ce qui est dit au théâtre est écrit par le scripteur et parlé par le personnage – avec le fait supplémentaire que la voix concrète qui parlera l'énoncé n'est pas celle d'un être abstrait, mais celle très réelle de l'acteur. On a donc tendance à oublier la voix du scripteur, d'autant qu'elle ne laisse de l'énonciation que des marques indirectes : « style » de l'auteur et combinatoire d'éléments dramaturgiques. Le mode d'énonciation du dialogue de théâtre est le je-tu de l'énonciation personnelle, la voix d'un il n'étant jamais que citationnelle, quand on « fait parler » un personnage dans un récit.
Bibliogr. : Maingueneau, 1991.

ÉNONCIATION (CONDITIONS D')

Le notion de « conditions d'énonciation » est une des notions clefs du théâtre, l'une des médiations décisives entre le texte et la scène : « Les énoncés du dialogue deviennent discours à partir du moment où leur sont données leurs conditions d'énonciation » (M. Corvin). L'oubli de cette notion conduit à beaucoup d'erreurs et d'incompréhensions, quand on se cantonne à l'étude du seul texte. Il est clair, dès le départ, qu'aucun énoncé appartenant au dialogue de théâtre n'a de sens pris hors de ses conditions d'énonciation. Ce qu'on peut vérifier à l'aide de n'importe lequel des mots célèbres du théâtre – le « Qu'il mourût ! » du vieil Horace (Corneille, *Horace*) ou le « Sans dot ! » d'Harpagon, ou le « Être ou ne pas être » de Hamlet –, lesquels sont rigoureusement privés de sens hors de leurs conditions d'énonciation.
Conditions d'énonciation qui sont factuelles (la position maté-

rielle ou la situation psychologique du sujet parlant) ou idéologiques au sens le plus large du terme (les valeurs de la société où vit le personnage). Les différents éléments de la situation d'énonciation peuvent faire partie du dit (par exemple, dans le *Polyeucte* de Corneille, les stances de Polyeucte sont « paroles dites en prison ») ou du non-dit* (sous-entendus, présupposés). Toutes ces conditions d'énonciation sont fictionnelles. Mais l'intérêt est que la mise en scène peut agir sur elles, à l'aide des conditions d'énonciation scéniques : la mise en scène peut, en effet, exhiber les conditions d'énonciation de la fiction avec leurs diverses composantes, ou au contraire les modifier, voire en substituer d'autres, pour changer le sens, ou inversement accroître la lisibilité pour un spectateur actuel, qui ne saisirait pas des conditions d'énonciation historiquement devenues obscures. C'est là que se fait l'une des tâches essentielles de la mise en scène : donner au dialogue les conditions d'énonciation les plus claires pour la réception. ▶ **Spectateur, Référence, Temps.**

L'ensemble des conditions d'énonciation figure une situation d'énonciation en liaison avec la situation dramatique.

Bibliogr. : Corvin, 1983.

ESPACE

Le comédien, élément fondamental du théâtre, ne saurait exister sans un espace où se déployer, et l'on peut définir le théâtre comme un espace où se trouvent ensemble des regardants et des regardés.

L'espace théâtral comprend acteurs et spectateurs, définissant entre eux un certain rapport.

L'espace scénique est l'espace propre aux acteurs, l'espace des corps en mouvement.

Le lieu scénique est ce même espace en tant qu'il est matériellement défini.

L'espace dramatique, lui, est une abstraction : il comprend non seulement les signes de la représentation, mais toute la spatialité virtuelle du texte, y compris ce qui est prévu comme hors scène.

L'espace théâtral est défini par un certain rapport du théâtre à la cité et aux représentations que les hommes s'en font – rapport que l'historien doit interroger à chaque fois. Ainsi, à Athènes, l'espace totalisant du théâtre comme figure de la cité ; l'espace

multiple des mystères au Moyen Age, avec ses lieux discontinus, image de l'univers ; apparition à la Renaissance de l'espace à perspective, avec son centrage autour de la figure humaine : « A la base, il y a la conception de l'homme, acteur efficace sur la scène du monde » (P. Francastel). L'espace triple de la dramaturgie élisabéthaine indique le rapport avec l'univers féodal (la *plat-form*, lieu des affrontements et des foules, le *recess*, lieu de la nouvelle diplomatie machiavélique, et la *chamber*, lieu de la vie privée). L'espace de la tragédie classique n'est pas le mime d'un corridor de palais, mais un espace abstrait, non mimétique, que ne gênent pas les bancs des spectateurs aristocratiques.
L'espace mimétique se crée progressivement tout au long du XVIIIe siècle, trouve son achèvement avec Beaumarchais, et poursuit son règne tout au long du XIXe siècle et au début du XXe. Puis il se déconstruit brusquement, laissant la place à des solutions multiples : « Défaire l'espace, notion nouvelle de l'espace qu'on multiplie en le déchirant » (A. Artaud).

A. Formes de l'espace

L'espace théâtral oscille entre deux formes extrêmes : l'espace-tréteau et l'espace mimétique, celui du théâtre de boulevard, par exemple. L'espace-tréteau est un espace de jeu, montrant clairement sa différence avec le reste du monde ; l'espace mimétique conduit le spectateur à imaginer la scène comme un morceau du monde, à se figurer l'extra-scène comme la suite du scénique, homogène à lui. La première forme dit son nom de théâtre, et se montre comme une aire isolée, mais en rapport direct avec les spectateurs ; inversement, l'espace mimétique s'isole du spectateur par la rampe, clôture de lumière, par le décor, espace montré autre, mais figuratif. Il est clair que la fonction ludique du théâtre est plus à l'aise sur un espace-tréteau et la fonction mimétique sur un espace figuratif, toute manifestation théâtrale se caractérisant par la double présence du ludique et du mimétique mais selon des proportions variées.

B. Caractéristiques de l'espace théâtral

Il est :
- concret et délimité ;
- tridimentionnel ;
- double, avec la co-présence simultanée des acteurs et des spectateurs ;
- soumis à des codes multiples ;

– soumis à cette loi fondamentale que tout ce qui figure sur la scène est fait de la même matière que le reste du monde : l'image scénique d'un homme est un homme ;
– un espace de jeu défini par une pratique physique, il est le lieu des corps des comédiens ;
– le lieu de l'imitation d'éléments du monde ; il peut : a) figurer des lieux concrets ; b) construire des espaces pluriels, rendant visible une sorte de « topologie » du psychisme ; c) montrer sur la scène l'espace dramatique du texte, avec ses divisions.

C. L'espace pluriel

L'espace scénique peut se diviser en zones, qui matérialiseront les divisions possibles, psychiques ou dramatiques (métaphorisant les divisions du moi, les clivages textuels, les oppositions sociales). Mais il peut être aussi le lieu d'un clivage d'une importance fondamentale : le théâtre dans le théâtre*, manifestation particulière par laquelle le théâtre trouve son espace propre sur la scène, avec des regardants et des regardés ; les spectateurs de la salle voient d'autres hommes en train de se livrer à la même activité qu'eux-mêmes, c'est-à-dire regarder une représentation théâtrale, donc, comme eux, pris dans le fait de la dénégation. On peut dire alors que pour l'espace qui est « théâtre dans le théâtre », la dénégation se renverse, et que, comme le rêve dans le rêve selon Freud, le théâtre dans le théâtre se met à dire la vérité. Chaque fois que dans une partie de l'espace scénique le théâtre se dit comme tel, on a une manifestation, fût-elle limitée, de théâtre dans le théâtre (▶ **Théâtre dans le théâtre**).

D. L'espace théâtral et la culture

Le théâtre n'est jamais hors de la cité : l'espace théâtral est dépendant du lieu théâtral, lui-même défini par son type d'insertion dans la cité, du cercle spectaculaire de la brousse africaine aux édifices les plus sophistiqués.

Ce qui est représenté sur une scène, fût-elle la plus compliquée, n'est jamais un lieu dans le monde, mais un élément repensé, reconstruit selon les structures et les codes d'une société. Ce qui est donné dans l'espace théâtral, ce n'est jamais une image du monde, c'est l'image d'une image.

La figuration spatiale correspond à l'ensemble de l'univers culturel : la perspective de la Renaissance s'accompagne d'un recours à des éléments picturaux, et la toile peinte envahit l'espace théâtral. Tous les éléments spatiaux au théâtre, à toutes les époques, sont liés à l'esthétique du temps, à la culture du regard. La représentation contemporaine se caractérise par un rapport direct à une esthétique du discontinu, à des différences d'échelle – et, par la richesse du jeu citationnel, avec des œuvres d'autres époques ou d'autres civilisations (ainsi Ariane Mnouchkine citant l'espace japonais).

E. La révolution du XXᵉ siècle

Le constructivisme de Meyerhold (« nous voulons fuir la boîte scénique par des plateaux aux surfaces fracturées »), la révolution appelée par Artaud (« une notion nouvelle de l'espace utilisé sur tous les plans possibles ») indiquent le sens d'une modification radicale du sens de l'espace ; il s'agit de passer d'un espace perspectif à un espace en volume. Au-delà du constructivisme, au-delà même de l'espace relativement vide de Vilar, ponctué de praticables, le travail contemporain consiste à bousculer l'espace traditionnel de toutes les manières possibles, à faire théâtre partout et dans les lieux les moins faits pour cela, à décentrer l'espace, à le fracturer, à jouer sur ses diverses dimensions, sur les oppositions spatiales (le clos, l'ouvert…), mais surtout à essayer toutes les formes possibles de rapports entre la scène et la salle (scène en rond, espace bifrontal…).

La meilleure formule de cet espace contemporain est sans doute donnée par A. Appia : « La scène est un espace vide, plus ou moins éclairé et de dimensions arbitraires […]. L'espace de la scène attend toujours une nouvelle ordonnance, et par conséquent doit être aménagé pour de continuels changements. Il est plus ou moins éclairé ; les objets qu'on y placera attendront une lumière qui les rendra visibles. Cet espace n'est donc en quelque sorte qu'en puissance latente, tant pour l'espace que pour la lumière […]. »

On comprend alors l'importance du scénographe* qui tend à prendre le pas même sur le metteur en scène ; son rôle n'est pas tant d'illustrer un texte, que de construire pour chaque texte et chaque performance l'espace qui lui est propre, de faire de l'espace à chaque fois une création autonome. L'espace théâtral n'est plus une donnée, il est une proposition, où peuvent se lire une poétique et une esthétique, mais aussi une critique de la représentation, d'où peut naître pour le spectateur une nouvelle lecture de son propre espace socioculturel.

Dans tous les cas l'espace théâtral joue un rôle de médiation entre les divers codes*, mais aussi entre les moments de la représentation, enfin entre acteurs et spectateurs.

Bibliogr. : Appia, 1921 ; Artaud, 1944 ; Bablet, 1975 ; Banu-Ubersfeld, 1979 ; Brook, 1977 ; Ubersfeld, 1981, 1995.

EXPOSITION

C'est, dans l'action théâtrale, la phase initiale : elle sert à faire connaître au spectateur tout ce dont il a besoin pour comprendre le déroulement de la fable*. Dans le théâtre classique, l'exposition trouve sa place dès les premiers moments de la pièce, souvent dès la première scène ou, en tout cas, à l'intérieur du premier acte ; elle porte sur les protagonistes, la situation, les conflits. Si le lieu scénique et plus généralement tout le visuel peuvent donner des éléments, elle est essentiellement produite par le discours. Le théâtre contemporain joue souvent à laisser le spectateur dans l'incertitude ou même à l'égarer (Beckett, Ionesco). ▶ **Absurde**.

FABLE

Selon Aristote, la fable (*mythos*) est l'« assemblage des actions accomplies » ou, selon une traduction plus concentrée et sans doute meilleure, l'« agencement des faits (*pragmata*) en système ». D'une façon plus générale, on peut y voir (et ce sera sans doute le sens le plus clair pour ce mot aussi ambigu que la plupart des termes de théâtre) le récit dans la mesure où on peut en reconstituer le déroulement selon l'ordre du temps. Brecht en donne une définition beaucoup plus complexe : « La fable ne correspond pas simplement à un déroulement de faits tirés de la vie en commun des hommes, tel qu'il pourrait s'être accompli dans la réalité, ce sont des processus ajustés dans lesquels s'expriment les idées de l'inventeur de la fable sur la vie en commun des hommes. Ainsi les personnages ne sont pas seulement des reproductions de personnes vivantes, ils sont ajustés et modelés en fonction d'idées » (*Additif au Petit Organon*). Et pour en montrer l'importance : « Tout est fonction de la fable, elle est le cœur du spectacle théâtral. Car de ce qui se déroule entre les hommes, ceux-ci reçoivent tout ce qui peut être discutable, critiquable, changeable… La grande entreprise du théâtre,

c'est la fable, cette composition globale de tous les processus gestuels, contenant les informations et les impulsions qui devront désormais constituer le plaisir du public » (*Petit Organon*, n° 65). On voit ici les idées-forces de Brecht* : la fable comme dans Aristote, « organisation des actions », l'importance de l'action, et la liaison de la fable et du plaisir du spectateur*. Umberto Eco donne de ce qu'il appelle *fabula* une définition complexe : c'est, dit-il, « le schéma fondamental de la narration, la logique des actions et la syntaxe des personnages, le cours des événements ordonné temporellement ». (133)
Bibliogr. : Aristote, 1980 ; Brecht, 1979 ; Eco, 1985.

FARCE

Courte pièce comique, essentiellement populaire, qui a ses lettres de noblesse chez Aristophane et Plaute. La farce en France naît à la fin du Moyen Age ; elle a pour caractéristique de tourner autour d'une tromperie : il y a en général un trompeur, un « décepteur » (*trikster*, dit l'anglais : une femme trompeuse, un valet voleur, un moine gourmand ou paillard), plus quelques dupes (en général le maître, le mari ou le riche). Tels sont les personnages. Une tromperie triomphante ou désamorcée, telle est le plus souvent l'intrigue.

FICTION, FICTIONNEL

Le théâtre appartient aux genres littéraires qui se fondent sur la fiction, c'est-à-dire sur une construction qui réfère à un univers de l'expérience tout en s'affirmant imaginaire : « Le texte de fiction est une assertion non vérifiable » (K. Stierle, « Réception et Fiction », *in Poétique* n° 39, 1939). Même le théâtre dont les personnages sont historiques raconte une histoire dont le rapport au réel apparaît secondaire. L'acteur prend en charge l'univers fictionnel de l'œuvre, il se montrera part de cet univers, il sera Jules César ou un clochard, mais en même temps et inséparablement son acte scénique* sera une performance*, c'est-à-dire une activité artistique concrète dans l'ici-maintenant de la représentation. ▶ **Fable, Performance.**

FOCALISATION

Travail du spectateur choisissant un élément de l'espace, un détail de la représentation, un acteur, pour faire porter son attention sur cet élément, et éventuellement le suivre dans son évolution. Travail souvent prévu et préconstruit par le metteur en scène, le scénographe, voire l'éclairagiste. ▶ **Spectateur**.

GENRE

Aristote, le premier, reprenant l'opposition platonicienne du récit épique et du récit imitatif, distingue, à l'intérieur du « genre théâtre », la tragédie (qui a rapport à l'épique) et la comédie, qui a plus de rapport avec l'imitation. La notion de genre est toujours liée au code théâtral du moment. La distinction, précise jusqu'au XVIIIe siècle (tragédie *ou* comédie, à quoi s'ajoute une tragi-comédie, plus difficile à définir), devient très floue à partir du moment où intervient la notion de drame*, elle-même relativement confuse, sans parler de genres nouveaux, comme le mélodrame*.

GESTE, GESTUALITÉ

Le geste est un mouvement corporel produit par l'acteur d'une façon volontaire ou semi-volontaire et qui, par le fait même qu'il est produit au cours de la représentation, adopte une signification en relation a) avec la parole de l'acteur, b) avec les autres acteurs, c) avec l'espace de la représentation.
De ce fait la gestuelle (c'est-à-dire non seulement l'ensemble des mouvements de l'acteur mais leur mode) est un texte, en relation avec tous les signes de la représentation, verbaux et non verbaux.
1) Le geste est un signe plus ou moins codé. Parfois il est un signe codé traduisible, comme dans les théâtres orientaux où chaque geste peut être traduit, signifiant « rivière » ou « soumission » ; parfois il est relativement codé par les habitudes sociales, donnant une apparence de naturalité, mais laissant un espace à l'action corporelle individuelle du comédien.
2) La gestuelle a une double fonction : elle est mimétique (d'un comportement réaliste), et symbolique.
3) La gestuelle constitue un texte* en rapport avec les signes verbaux, parfois en redondance, parfois en opposition avec eux. N'est pas exclue la possibilité de signes gestuels opaques, intra-

duisibles ou peu clairs, dont la fonction par rapport au discours verbal est celle d'une métaphore.
4) La gestuelle est en rapport avec la mimique* (signes produits par le visage seul).
Les tentatives pour fabriquer un « dictionnaire des gestes » n'ont jamais été très efficaces.
Bibliogr. : Meyerhold, 1973 ; Leroi-Gourhan, 1988.

GESTUS

Le gestus social*, selon Brecht, marque l'attitude générale qu'adopte tel personnage ou tel type de personnage en fonction du rôle qu'il se donne ou qu'on lui attribue dans la société. C'est donc une extension du sens des mots « geste » et « gestuelle » : « Le domaine des attitudes que les personnages adoptent les uns envers les autres, nous l'appelons "le domaine gestuel". Attitude corporelle, intonation et jeu de physionomie sont déterminés par un gestus social : les personnages s'injurient, se complimentent, s'instruisent l'un l'autre » (*Petit Organon*, n° 61). Le gestus comprend donc, au-delà du geste proprement dit, la mimique*, le paralinguistique*, et même une part du verbal. D'une façon plus large encore, Brecht lie le gestus à la fable* et l'emploie au sens d'acte scénique* : « Chaque événement a un gestus fondamental : Richard, duc de Gloucester, courtise la veuve de sa victime (dans le *Richard III* de Shakespeare), (...) Dieu parie avec le diable l'âme de Faust (dans le *Faust* de Goethe) » (*Petit Organon*, n° 66).
Bibliogr. : Brecht, 1979.

GROTESQUE

Le mot date de la Renaissance et désigne des dessins ou des peintures représentant des objets ou des personnages fantastiques et censés décorer des grottes.
Notion littéraire, culturelle, théâtrale, le grotesque dépasse le domaine du théâtre. En ont fait la théorie Victor Hugo (*Préface de Cromwell*), et Mikhaïl Bakhtine, dans ses ouvrages sur Dostoïevski et Rabelais.
1) Le grotesque n'est pas seulement un genre ou une forme, mais une contre-culture – comme le montrent Hugo et Bakhtine – dont l'itinéraire est jalonné des mêmes noms : Aristophane,

Lucien, dans l'Antiquité, et à la Renaissance « trois Homère bouffons, Cervantès, Shakespeare, Rabelais » (Hugo, *Préface de Cromwell*) ; contre-culture qui « fait gambader Sganarelle autour de Don Juan et ramper Méphistophélès aux pieds de Faust » (*ibid.*). Bakhtine note avec précision que le grotesque est lié à travers l'histoire au moment du carnaval, c'est-à-dire au moment où le peuple, pour un instant, se débarrasse des contraintes et soulève le joug. Souverain populaire et bouffon, le roi de carnaval est couronné puis détrôné : le grotesque apparaît présence du peuple, plus ou moins cachée.

2) Conséquences littéraires : éclatement des catégories du beau, de la raison (inversion du rationnel par les catégories de l'horreur et du fantastique), présence du corps, en opposition aux vues idéalistes de l'art, présence de ce que Bakhtine appelle le « bas matériel ». Le caractère subversif du grotesque a pour conséquence ce qu'il nomme le dialogisme, c'est-à-dire la présence simultanée de la pensée dominante et de sa contestation ; d'où la figure de rhétorique fondatrice du grotesque, l'oxymore, présence en un même lieu de déterminations opposées, qui fait éclater toute vue conformiste et rassurante du monde. L'effondrement au XVIe siècle de la vue hiérarchique et théocentrique, puis, au XIXe siècle, la présence d'un monde socio-économique devenu trop complexe, « ingérable », conduisent à la résurrection du grotesque, comme l'a bien vu Kleist (*Sur la marionnette).*

3) Le grotesque au théâtre se manifeste dans des personnages comme le valet frondeur ou le bouffon de cour, mais surtout par ce que Bakhtine appelle les « mésalliances », coprésence de personnages opposés, ou, dans le même personnage, de déterminations opposées : laquais amoureux d'une reine (*Ruy Blas)* ou fou de cour régicide (*Le roi s'amuse, Lorenzaccio*). Dans l'action, le grotesque résulte de la juxtaposition oxymorique des grands personnages et des actions vulgaires. Quant au comique grotesque, il est de nature particulière : non pas, comme on croit, juxtaposition du comique et du tragique, mais intrication et réversibilité du rire et de la mort ; le comique provient alors de la destruction et y renvoie impitoyablement.

Bibliogr. : Hugo, 1968 ; Brecht, 1979 ; Kleist, 1978 ; Bakhtine, 1965, 1970.

HÉROS

Le héros est le personnage central de la tragédie grecque. Le plus souvent, il est l'individu fort qui se dresse face à la cité pour en discuter ou en violer les lois (ainsi Oreste, chez Eschyle, ou Œdipe, Ajax, chez Sophocle). Parfois, il représente une autre valeur, sinon une autre loi, ainsi Antigone. Chez Euripide, il représente le droit de la victime en face des puissants et des vainqueurs (Andromaque, Hécube). Le mot garde un sens fort dans le théâtre classique français, mais dans la comédie, il prend, peut-être abusivement, le sens de personnage principal (Alceste-*Le Misanthrope*, Harpagon-*L'Avare*), sens qu'il garde jusqu'à nos jours. Chez les Élisabéthains ou dans le théâtre baroque espagnol, chez les romantiques aussi, il conserve ses connotations de grandeur, fût-ce dans la violence ou le crime (Hamlet, Macbeth, Richard III). Il naît au XIXe siècle et surtout au XXe un héros inverse, qui tire son caractère exceptionnel de sa faiblesse sociale : ainsi Woyzeck chez Büchner, le soldat Schweik ou Groucha, l'héroïne du *Cercle de craie caucasien*, chez Brecht.

IDENTIFICATION

Travail commun du comédien et du spectateur pour épouser les sentiments possibles du personnage et son attitude devant les autres et devant le monde. Personne n'a jamais pensé, et malgré la légende pas plus Stanislavski qu'un autre, que le comédien devait vivre ce que vivait le personnage ; mais il lui faut, pour les imiter, imaginer fortement les émotions et surtout les réactions du personnage qu'il joue, et pour les imaginer, faire appel par ses souvenirs à son propre potentiel émotionnel. Imagination contagieuse : le théâtre, c'est « la peste », dit Artaud.
Mais il faut remarquer :
1) que dans le cas d'un personnage qui souffre une douleur affreuse (exemple classique de l'Andromaque d'Euripide, dont on tue l'enfant – *Les Troyennes*), au théâtre personne ne souffre, ni le personnage, être de papier, ni la comédienne, qui a fort à faire, ni le spectateur, ému, mais jouissant. Limite à l'identification... ;
2) que l'émotion du comédien est d'autant plus forte et sincère qu'il est le premier récepteur des signes qu'il produit (signes verbaux et signes gestuels).
Mais l'identification – c'est-à-dire le mouvement qui conduit le

comédien à la création des émotions d'un être – et le mouvement du spectateur pour sentir la même chose ne sont nullement imaginaires. Identification/distance sont les deux moments qui se partagent le spectateur pendant la représentation, dans une sorte de battement qui peut être si rapide que l'un et l'autre moment ont l'air de se confondre. ▶ **Illusion.**

ILLUSION

L'illusion théâtrale est traditionnellement définie comme le pouvoir qu'a la pratique théâtrale de fabriquer un objet ressemblant tellement à la réalité que le récepteur-spectateur* en est dupe et le prend pour le réel. Bien entendu, une telle illusion est elle-même imaginaire : illusion d'une illusion. Comme le montre admirablement O. Mannoni, personne n'a jamais cru que ce que montre le théâtre était un réel du même ordre que celui sur lequel on peut agir dans le monde quotidien ; comme il dit, c'est toujours l'Autre, l'innocent, l'enfant, le fou qui croit, ou dont on imagine qu'il croit. C'est le cow-boy ignorant qui ajuste le traître ou le nègre sur la scène et ferait bien un carton. Déjà Stendhal disait en 1823 : « Il est faux qu'aucune représentation soit jamais prise pour la réalité ; il est faux qu'aucune fable dramatique ait jamais été matériellement croyable ou ait jamais été crue réelle pendant une seule minute » (souligné par Stendhal, *Racine et Shakespeare*).
Tout le travail de la représentation, toute la théâtralisation travaille contre l'illusion, comme le travail de « distanciation » de l'acteur brechtien (ou non brechtien). Mais par une sorte de paradoxe, l'hypernaturalisme (comme l'hyperréalisme en peinture) casse aussi l'illusion – comme ces roses de velours, si réelles que leur fabrication n'en apparaît que plus éclatante.
En revanche, le moment de l'illusion est cette seconde où le spectateur adhère si fort à ce qu'il perçoit (voit, entend), que la conscience critique (la conscience de la distance théâtrale) s'abolit dans l'effusion du sentiment. Non pas qu'il croie, mais il éprouve une émotion si forte (et cette émotion est aussi de nature esthétique) qu'elle lui interdit le retrait.
Bibliogr. : O. Mannoni, 1965.

IMITATION ▸ MIMESIS

IMPROVISATION

Technique pédagogique pour l'apprenti comédien ou préparation à une mise en scène*, l'improvisation apprend à inventer des jeux de scène et des paroles, soit libres, soit à partir d'un canevas, qui devront illustrer une situation. L'origine présumée de l'improvisation est la *commedia dell'arte*, où elle n'est en fait pas autre chose que l'emploi aléatoire d'un parmi les multiples jeux de scène possibles (les *lazzi*) de telle situation théâtrale, jeux de scène parfaitement connus et éprouvés.
L'improvisation contemporaine vise à exalter les possibilités de l'invention créatrice des comédiens. Dans la préparation à la représentation, l'improvisation sert d'abord à cerner les diverses possibilités de jeux à partir du texte que l'on va représenter, ou à former les comédiens à répondre aux situations imprévues en relation avec l'aléatoire des représentations.

INCARNATION ▸ IDENTIFICATION

Le mot est d'une dangereuse confusion, qui laisse à penser que le comédien prête sa chair à une créature autre, qui, tel un fantôme, chercherait un corps à hanter...

INTRIGUE

« Structure de surface » (M. Corvin, *Dictionnaire de théâtre*) d'une action en général « implexe » selon la terminologie de Corneille et semée d'incidents, de quiproquos, de retournements (Labiche, Feydeau). Le plus souvent terme employé dans le syntagme « comédie d'intrigue ». ▸ **Action**.

JEU

La notion de jeu est aussi ambiguë que les autres notions qui occupent le champ du théâtre. Que signifie jouer ? C'est à la fois exercer une activité artisanale économiquement reconnue et payée, exercer une activité artistique qui serait gratifiante même gratuite (voir le théâtre amateur), accomplir un acte ludique, c'est-à-dire sans conséquence dans la vie pratique. Jouer, c'est

comme accomplir un acte relevant d'une quelconque des activités et manifestations théâtrales, jouer (sans jeu de mots), sur les deux tableaux.
L'idée même du jeu comprend la notion de liberté quand, dans le domaine mécanique, on dit que deux pièces ont du jeu. Or, cette mobilité est dans le domaine théâtral la part d'invention, qui est celle du comédien, inventant les éléments de construction de son jeu, mais se servant aussi, à chaque instant, des chances que lui offre l'aléatoire.
Les éléments du jeu de l'acteur sont : a) la construction physique d'un individu par la gestuelle, la diction, le phrasé (tout le domaine du perlocutoire), et le jeu de ces divers éléments les uns par rapport aux autres ; b) la construction des divers actes scéniques réclamés par l'action ; c) la chance que son inventivité laisse au hasard.

MARIONNETTE

Depuis l'origine, les théâtres traditionnels, surtout en Asie mais aussi, un peu plus tard, en Europe, ont essayé de faire du théâtre avec des objets mimétiques de la figure humaine, de faire du théâtre avec des objets plus ou moins artistement machinés pour ressembler à des hommes vivants. L'artiste n'est plus un mime, il est un manipulateur, succédant à l'artiste premier, celui qui a fabriqué la marionnette. Les techniques sont différentes, mais l'intention est la même : fabriquer des acteurs qui possèdent la souplesse et l'impassibilité – qui soient parfaitement dociles et sans trace d'initiative individuelle. A fils ou à gaine, à tiges, à baguettes, minuscules comme des jouets, grandes comme des hommes, les marionnettes, principalement en Inde, en Turquie, en Indonésie, ont déjà pour avantage de ne pas impliquer d'êtres humains dans ce mime un peu dangereux des actions humaines ; autre avantage : la richesse infinie des costumes, avec leurs formes et leurs couleurs, la symphonie visuelle qu'elles créent. O. Schlemmer, architecte et scénographe de l'école allemande du Bauhaus, explique : « Présentée avec esprit et pertinence par Kleist dans *Le Théâtre de marionnettes*, la différence, sinon la supériorité, de la mécanique sans âme de la poupée à l'égard du corps humain est évidente. L'"infaillible" capacité de travail de la machine, qui ne connaît pas la fatigue, son impassibilité, le caractère inquiétant et impitoyable de sa façon d'agir [...] ; le caractère non organique de sa mécanique aussi, sa "métaphysique" si l'on veut, en ce qu'elle représente un non-naturel et sur-naturel à la fois – toutes ces propriétés, rapportées à l'homme, sont celles de son reflet automatisé » (66). Non-naturel et sur-naturel : là est bien l'essentiel : que tout dans le théâtre, même l'être humain, soit artefact. Le bunraku japonais, par exemple, avec ses montreurs (ils sont trois, vêtus de noir, sur la scène) et ses marionnettes merveilleusement sculptées, peintes, habillées, manifeste l'essence même du théâtre : des praticiens montrant et manipulant l'action de personnages de fiction. Un autre aspect, paradoxal, de la marionnette est celui sur lequel insiste Claudel : la marionnette parle, et l'essentiel de son activité est d'être le mime véritable de la parole humaine vivante, d'autant plus vivante qu'elle est confrontée à la machine : « La marionnette est une parole qui agit » (*L'Ours et la Lune*).

Le théâtre occidental du XXe siècle, depuis le symbolisme, a tenté à mainte reprise d'utiliser la marionnette, soit seule, soit en la mêlant aux acteurs « humains ».

Bibliogr. : Kleist, 1978 ; Schemmer, 1978.

MASQUE

Le masque est lié au sacré dans les sociétés dites primitives ; il représente à l'intérieur d'un rite le moment où l'homme qui s'en revêt se retrouve en contact avec des forces extérieures à lui et qu'il « incarne » ou reçoit.

Le masque est lié au théâtre dès les origines de la tragédie : il marque une transformation de l'individu-acteur, qui, par le port du masque, se fait le véhicule de forces. Dans toutes les formes théâtrales qui l'adoptent (tragédie et comédie antiques, *commedia dell'arte*, nô japonais), il marque la disparition de l'homme individuel derrière un rôle ou, mieux, une figure. Effaçant la mimique au profit de signes permanents – d'autant que le vêtement efface aussi, tant que faire se peut, la silhouette individuelle –, il contraint l'acteur à l'expression gestuelle (danse) et vocale. Dans la pensée de Brecht d'un côté, d'Artaud de l'autre, le théâtre contemporain en retrouve l'usage, dans le but de faire disparaître la personnalité psychologique derrière le rôle social ou les grandes forces psychiques.

Le cas particulier du demi-masque d'Arlequin dans la *commedia*

dell'arte est révélateur : laissant libre la seule bouche, il exalte les fonctions premières de l'être humain (parler et manger).
Certaines formes théâtrales qui ont renoncé au masque en retrouvent l'usage atténué par la présence de maquillages-masques, effaçant autant que possible des traits individualisants du visage au profit de traits à signification codée : ainsi l'opéra chinois (où tous les traits et couleurs sont symboliques), le kabuki japonais, donnant par exemple à ses *onnagata* (acteurs masculins jouant exclusivement des rôles de femmes) les traits d'une féminité stylisée, le kathakali indien (théâtre traditionnel de l'Inde du Sud).
L'usage du masque neutre, effaçant les traits sans rien proposer, est surtout pédagogique ; il a pour mission d'entraîner les comédiens à jouer avec d'autres moyens que ceux de l'expressivité du visage, à se servir de tout leur corps.

MÉLODRAME

Le mélodrame est un genre historiquement déterminé. Né à la fin du XVIIIe siècle d'une sorte d'opéra populaire, mélange de textes et de chansons, il prend sa force à la Révolution dont il est la « moralité », dira lucidement Ch. Nodier dans sa Préface (1841) aux œuvres du plus illustre « mélodramatiste », Pixérécourt. Il devient dans la première moitié du XIXe siècle le genre théâtral populaire par excellence. Il est théâtre non du peuple, mais pour le peuple, « moyen d'instruction » pour lui, dit Pixérécourt, qui ajoute qu'il a mis dans son théâtre « de la sensibilité, la juste récompense de la vertu et la punition du crime » (*Dernières réflexions sur le mélodrame*, 1847).
Le mélodrame est un genre strictement codé avec un stock de personnages dont le rôle est déterminé : le héros, le traître, le père à qui l'on a fait tort, la jeune victime qui se mariera à la fin avec l'amoureux, le niais qui « parle peuple ». Le mélodrame apparaît un roman familial à dénouement optimiste, image d'une société unie, fantasmatique. Le mal historico-social y est toujours comme laminé entre le mal, œuvre du Méchant, et les catastrophes naturelles : on y fait une grosse consommation de tempêtes et de tremblements de terre. Le mélodrame, relayé à la fin du siècle par le genre un peu différent du « drame populaire » (*Les Deux Orphelines*), a connu un succès énorme ; s'y retrouvaient toutes les classes de la société.

Le mot mélodrame a fini par signifier d'une façon quelque peu abusive toute œuvre théâtrale caractérisée par une suite d'événements violents et invraisemblables et un style à la fois plat et ampoulé.

MIME

Le mime a pour origine une forme théâtrale latine reposant sans doute sur un texte, ou en tout cas sur un canevas, mais composée essentiellement de chants et de danses. Par extension, il désigne toute forme théâtrale où la parole joue un rôle nul ou insignifiant. Ainsi le drame dansé indien, reposant sur des épisodes du Ramayana.
Le mimodrame moderne est un théâtre sans paroles reposant sur un canevas dramatique, différent de la pantomime par le fait que cette dernière repose essentiellement, non sur l'action, mais sur l'imitation de comportements, où la mimique compte beaucoup. Le mimodrame du XIXe siècle est illustré par le célèbre Deburau, appelé par Théophile Gautier « Shakespeare aux Funambules » (voir le film de M. Carné, *Les Enfants du paradis*), et au XXe siècle par J.-L. Barrault, ainsi que par les mimes Marceau et Decroux, ce dernier s'interdisant de faire reposer l'action sur la mimique*.

MIMESIS

Le mot grec qu'emploie Aristote signifie « imitation », au sens précis de « pouvoir de reproduction artistique des éléments du monde objectif ». Ce pouvoir d'imitation est pour lui « artistique » (il est la <u>poétique</u>, *poïètikè*), et il est chose « naturelle » : « Dès l'enfance les hommes ont, inscrites dans leur nature, à la fois une tendance à représenter – et l'homme se différencie des autres animaux parce qu'il est particulièrement enclin à représenter, et qu'il a recours à la représentation dans ses premiers apprentissages – et une tendance à trouver du plaisir aux représentations » (*Poétique*, IV). Désir et plaisir de la représentation...
L'art imite donc la nature, mais il ne produit nullement un <u>double</u> ou une <u>réplique</u> (Umberto Eco), il produit une œuvre qui n'est pas une copie, mais soutient avec son modèle un rapport <u>construit</u>. C'est la loi de cette construction qu'on peut appeler <u>mimesis</u>. L'œuvre d'art, l'œuvre théâtrale en l'occurrence, n'est donc jamais un reflet, elle n'est pas non plus seconde

par rapport à un « réel », même si dans certaines formes de théâtre (▶ **Naturalisme**), le but est de donner l'image la plus « ressemblante » possible de la réalité. Mais qu'est-ce que la « réalité » ? Et comment peut se manifester la « ressemblance » ? Surtout au théâtre, où la substance de l'expression diffère souvent du « réel » : une toile peinte n'est pas un paysage – et costume, maquillage, masque font parfois tout pour éloigner l'acteur de son statut quotidien. Inversement, on peut dire que même si l'on effaçait, autant que faire se peut, tous les éléments proprement mimétiques, ne laissant subsister que les signes qui ne renvoient au réel que par le moyen d'une figure de rhétorique (métonymie ou métaphore), il y aurait toujours dans l'art théâtral des éléments mimétiques d'un réel extra-scénique : les « figures » sont des hommes concrets et vivants (même les marionnettes sont manipulées par des hommes vivants), et leur discours devra se rapprocher de discours « réels » pour pouvoir être compris des spectateurs ; la parole est le lieu de la mimesis. Hugo écrit dans une note personnelle : « Le théâtre n'est pas le pays du réel : il y a des arbres de carton, des palais de toile, un ciel de haillons [...]. C'est le pays du vrai : il y a des cœurs humains sur la scène, des cœurs humains dans la coulisse, des cœurs humains dans la salle. » A noter, que l'excès dans la reproduction mimétique a pour conséquence d'irréaliser la copie.
Reste la difficulté centrale : que le plaisir du théâtre est pour une part considérable plaisir de la copie, plaisir de voir l'art concurrencer la nature, être plus nature que la nature, et par là provoquer la pensée, contraindre le spectateur à penser le monde, son monde. Il est certain que la mimesis n'est pas l'ennemie de la réflexion critique, elle en est la condition. L'écart entre la représentation du réel pensée par le spectateur et la « représentation » (le mot prend tout son sens) du théâtre, cet écart s'appelle l'art du théâtre et permet de penser ce rapport entre l'imitant et l'imité comme contenant une vérité. Mais alors la mimesis change de « lieu », elle devient le rapport entre les hommes sur scène et les hommes dans la salle, avec la médiation de la réflexion critique (▶ **Brecht**).

MIMIQUE

Mouvements des muscles du visage qui traduisent des émotions ou une attitude générale comportementale. La mimique, on le sait, n'est pas réservée aux humains : les animaux possèdent un stock mimique utile pour la chasse ou la défense. Depuis longtemps, médecins et physiologistes se sont efforcés de fabriquer un catalogue des mimiques humaines, ce qui n'est pas très facile, la mimique étant au croisement de la réaction individuelle et de l'habitus social.

Chaque mimique est un ensemble de signes, dont la caractéristique est d'être plus ou moins codée. Pendant longtemps, aussi bien dans les théâtres traditionnels qu'en Occident, on a cherché à construire des ensembles de mimiques clairs, lisibles pour les spectateurs. A partir du XVIIIe siècle, quand on a travaillé d'une manière plus réaliste (▶ **Réalisme**), on s'est efforcé de créer des mimiques plus nuancées et plus individualisées, de demander à chaque acteur de se fabriquer ses propres mimiques. La tendance contemporaine est inverse : depuis Artaud, on tend à retrouver des mimiques plus codées, plus lisibles, à faire du travail mimique une sorte de construction de masques*, parfois même à réduire le visage à la non-expressivité d'un masque neutre. Une distinction pertinente peut être faite entre les mimiques qui traduisent des émotions involontaires, qui « trahissent » si l'on peut dire, et celles qui participent au vouloir expressif d'une attitude (menace ou séduction par exemple).

Bibliogr. : Decroux, 1963 ; De Marinis, 1980.

MISE EN SCÈNE

La mise en scène ne saurait être comprise comme la <u>traduction</u> ou, ainsi qu'on le dit parfois (P. Pavis), <u>la concrétisation</u> d'un texte préalable, pour une raison première qui est la <u>présence du texte dialogué dans la représentation</u>, sous sa forme phonique. Inutile donc de parler de « fidélité » au texte, ce mot de « fidélité » étant en l'occurrence strictement dénué de signification. Seules les didascalies, autrement dit l'indication des <u>conditions d'énonciation</u>* du texte dialogué, se retrouvent transposées – selon des lois qui dépendent du moment historique de la représentation et de son code théâtral, ainsi que de l'univers* encyclopédique du récepteur. La mise en scène est donc à la fois la mise en œuvre phonique d'un ensemble linguistique (le dialogue), et la transformation d'un texte, dont la substance de l'expression est linguistico-scripturale (les didascalies), en un système complexe de signes (de substances de l'expression diverses : visuelle, auditive...).

Tous les procédés de traitement de l'espace (dispositifs scéniques, objets, éclairage, systèmes colorés) et de « mise en jeu » du comédien (voix, diction, gestuelle, costume, rapport des corps entre eux) doivent concourir à un objet unique : une œuvre originale.
La mise en scène n'existe comme travail artistique autonome qu'à la fin du XIXe siècle ; auparavant elle était le travail de l'auteur lui-même qui joignait les deux activités créatrices, ce qui était naturel quand il était également comme Molière ou Shakespeare chef de troupe ; mais Racine, Voltaire, Hugo, eux aussi, font la mise en scène de leurs œuvres, aidés en général par l'un des comédiens. L'autonomie de la mise en scène à la fin du XIXe siècle est due à la collision de deux tendances opposées : la volonté de rapprocher du spectacle du monde le spectacle procuré par la scène, de construire donc un univers scénique « réaliste » (▶ **Réalisme et Naturalisme**), et la volonté opposée de construire un univers scénique autonome, une œuvre artistique aussi éloignée que possible de la représentation du monde et construite selon ses lois propres (voir Maeterlinck et le symbolisme*).

Quelques réflexions.
1) Le problème clef de la mise en scène est donc celui de l'articulation entre le travail d'un maître d'œuvre (un artiste, avec sa conception propre de l'œuvre à réaliser), et le travail de chacun des artistes qui concourent à l'œuvre : travail du scénographe (maître de l'espace, quand le metteur en scène est maître du temps, donc de la référence), travail de l'éclairagiste, du costumier, de chacun des comédiens pris à part, et de la troupe dans son ensemble.
2) Le travail de la mise en scène implique la prise en compte de trois éléments :
a) l'état actuel technique, sociologique, esthétique, économique du théâtre – tout le code théâtral contemporain ;
b) un spectateur imaginaire construit par le metteur en scène, selon l'univers* encyclopédique et particulièrement esthétique qu'il lui prête, en relation d'identité et/ou de distorsion avec le sien propre (violer un peu le spectateur n'est pas interdit au metteur en scène) ;
c) un texte (fût-il un simple canevas), base de réflexion, de création.

3) Une part essentielle de la mise en scène consiste dans la lecture du texte et son interprétation, que ce soit la construction, toute brechtienne, d'un « sens » en relation avec le gestus fondamental présent dans l'œuvre, que ce soit au contraire la construction de pistes multiples à l'intention d'une lecture plurielle de la part du spectateur, ou que ce soit, comme le veut Vitez, la mise en évidence d'une énigme du texte, que la mise en scène devra montrer sans tenter de la résoudre, c'est-à-dire de l'évacuer.
4) Par rapport au texte T du scripteur, la mise en scène construit avec tous les signes un texte second T', dont la base est le travail de construction d'une référence, d'une référentialisation du texte : a) par rapport au temps de la mise en scène et au « monde réel » du metteur en scène ; b) par rapport à un temps du passé, celui du scripteur ou celui de la fable évoquée. Cette référentialisation est toujours le fruit d'un choix.
Bibliogr. : Veinstein, 1955 ; Vilar, 1955 ; Bablet, 1975 ; Ubersfeld, 1981, 1995.

MONOLOGUE

Le monologue est une forme de discours théâtral qui suppose l'absence de l'allocutaire, de l'« interlocuteur scénique », le récepteur étant le seul public. Le monologue est rarement un véritable soliloque et le dialogisme ne lui est pas étranger : il suppose en général un double locuteur à l'intérieur de la seule voix du personnage ; conflit entre les voix qui parlent selon deux systèmes de valeurs (▶ **Tragédie**) – ainsi les stances de Rodrigue dans *Le Cid*, de Corneille –, ou deux mouvements passionnels inconciliables (voir le monologue d'Hermione qui ouvre l'acte V de l'*Andromaque* de Racine).
Ou bien le monologue s'adresse à un allocutaire imaginaire, un soi promu à la dignité d'interlocuteur imaginaire, ou l'être aimé fantasmatiquement rendu présent, ou une justice rêvée, ou Dieu (prière). Il est donc important de démêler les voix internes conflictuelles ou les destinataires du monologue.
Ne pas oublier que du fait de la double énonciation* le spectateur est évidemment le destinataire second de tout énoncé sur scène, donc de tout monologue. Dans les formes populaires du théâtre ou celles semi-populaires de la comédie, le spectateur est pris à partie comme destinataire du monologue, et parfois nom-

mément interpellé. Voir chez Molière le monologue d'Harpagon (*L'Avare*) ou celui de Georges Dandin; on trouve aussi de multiples exemples chez Goldoni.
On parlera de soliloque quand le discours solitaire paraît être la pure expansion du moi en état de non-possession ou de faible possession de soi (angoisse, espérance, rêve, ivresse, folie), sans destinataire, même imaginé. Soliloque, donc, ce que G. Genette nomme « le monologue moderne [qui] enferme le personnage dans la subjectivité d'un vécu sans transcendance ni communication ».
Bibliogr. : Genette, 1972.

NATURALISME

Mouvement artistique et particulièrement théâtral qui, vers la fin du XIXe siècle, sous l'impulsion du romancier Zola et du metteur en scène Antoine, apparaît comme le point d'aboutissement à la fois de l'espace* mimétique (▶ **Mimesis**) et d'une « dramaturgie du 4e mur » excluant par la pensée le spectateur, virtuellement absent. Le naturalisme au théâtre est évidemment lié à l'ensemble du moment littéraire naturaliste, qui privilégie une peinture des réalités matérielles sans concession et implique l'idée de l'homme comme élément et partie intégrante de la nature (voir le *Germinal* de Zola).
Le théâtre naturaliste suppose :
a) une peinture aussi proche que possible du concret (espace, objets, décor), proche de la réalité matérielle mimétiquement figurée (Antoine fait figurer sur la scène de vrais quartiers de bœuf, fraîchement débités et tout saignants);
b) une peinture des milieux sociaux précise, ce qui suppose une multiplicité d'objets, un espace relativement encombré; la peinture des personnages liés à leur milieu (costume, comportement, attitude corporelle);
c) une diction aussi « naturelle » que possible, intégrant la copie des accents, prononciation, vocabulaire si possible et tics langagiers de telle classe ou de tel groupe social – l'ensemble de la mise en scène privilégiant l'imitation et l'illusion*. Les survivances du naturalisme sont encore sensibles dans des formes aussi dissemblables que le théâtre de boulevard, le théâtre télévisuel et, d'un autre côté, le théâtre dit du quotidien*.
Bibliogr. : Zola, 1881; Antoine, 1903; Lukacs, 1914; Szondi, 1956.

NÉCESSITÉ

Notion relativement obscure, présente chez Aristote : « Le récit exact de ce qui a pu avoir lieu, n'est pas l'affaire du poète, mais lui appartient ce qui aurait pu arriver selon le vraisemblable ou la nécessité » (*Poétique*, IX). On peut entendre par nécessité l'enchaînement logique des situations, ainsi la découverte de soi faite par Œdipe selon l'enchaînement fatal de sa propre enquête. Mais la nécessité pour Aristote implique aussi une nécessité intérieure des personnages, ce qu'il appelle les caractères : « Il faut donc dans les caractères, comme dans l'arrangement systématique (*syntasis*) des faits, chercher toujours le nécessaire ou le vraisemblable : qu'il soit nécessaire ou vraisemblable que tel homme dise ou fasse telle chose, nécessaire ou vraisemblable que ceci se produise après cela » (*ibid.*, XV). ▶ **Vraisemblable.**
Bibliogr. : Aristote, 1980.

NŒUD

Le mot, un peu confus, désigne principalement le moment où le conflit s'exaspère et où il devient évident que la catastrophe devra intervenir, à moins d'un incident imprévu ; mais on considère souvent que le nœud est au contraire l'incident qui bloque l'action et nécessite un autre événement (le dénouement*) pour la débloquer. De toute manière le nœud représente dans la dramaturgie classique le moment central de l'action, celui où le travail du scripteur sera de montrer l'exaspération des conflits. Pour Brecht, il peut exister une pluralité de nœuds, marquant les moments successifs dans l'évolution de la situation : « Les divers éléments doivent être enchaînés de manière à ce que les nœuds apparaissent » (*Petit Organon*, n° 67). ▶ **Action.**
Bibliogr. : Schérer, 1950 ; Brecht, 1963.

NON-DIT

Le non-dit au théâtre est une notion fort complexe.
1) Elle désigne le sous-texte selon Stanislavski, c'est-à-dire toute la nébuleuse de sentiments et d'émotions qui accompagnent pour le comédien la profération des paroles d'un personnage, nébuleuse qui comprend les sentiments du personnage tels que le comédien les imagine, mais aussi les émotions qu'il éprouve, lui acteur, différentes de celles du personnage, et les émotions

qu'il imagine qu'il ressentirait à la place du personnage. Une nébuleuse complexe, à la fois reçue et construite par l'acteur.
Bien entendu cette nébuleuse dépend des conditions d'énonciation* qui font partie non pas du non-dit, mais d'un « dit ailleurs » : les paroles d'un homme en prison sont paroles de la prison (ce qui nous a été dit fort clairement), et par conséquent ce qui correspond au sous-texte stanislavskien, c'est la nébuleuse des sentiments et des émotions de l'homme en prison.
2) Le non-dit au théâtre comprend des éléments dont la caractéristique est d'*être dits*.
La pragmatique pour tout énoncé nous rappelle qu'il existe deux catégories de non-dit objectif, ne dépendant ni de la psychologie du sujet ni même à la limite des conditions d'énonciation : les présupposés et les sous-entendus. Le présupposé que contient un énoncé est une proposition qui n'est pas explicitée, mais qui est telle que, faute d'un accord entre l'énonciateur et son énonciataire sur ledit présupposé, l'énoncé ne sera pas acceptable. Le présupposé fait partie intégrante du sens de l'énoncé, quel que soit le contexte.
Un exemple : dans l'*Andromaque* de Racine, Andromaque dans l'incertitude dit : « Allons sur son tombeau consulter mon époux. » Ce qui est présupposé, sans aucune hésitation, c'est que cet époux est mort. Qu'elle emploie l'interrogation : « Irai-je ?... » ou la négation : « Je n'irai pas... », le présupposé n'en demeure pas moins : Hector est toujours mort.
Les présupposés sont de divers ordres : historiques et factuels – il y a eu un héros nommé Hector, et il est mort –, mais aussi idéologiques : le respect des morts est une valeur inhérente à l'espèce humaine, les morts ont donc un tombeau, fût-ce un cénotaphe (le tombeau d'Hector est vide), et, plus étrange, les morts peuvent conseiller les vivants.
Tels sont les présupposés qui conditionnent le vers énoncé par Andromaque, et sur lesquels son allocutaire n'a pu que tomber d'accord (sur lesquels sa confidente était d'accord, nécessairement, avant toute parole). O. Ducrot remarque : « Dans la mesure où il contient des présupposés, un texte contient [...] au centre de lui-même un appel à autrui et doit se comprendre par rapport à un destinataire ».
Il n'en va pas de même des sous-entendus ; supposons l'énoncé « mon frère ne fume plus », il peut impliquer toute une série de sous-entendus : il a peur du cancer, sa femme l'en empêche,

fumer lui donne mauvais caractère, le fait grossir, etc. La liste des sous-entendus possibles est quasi infinie (en un sens on peut lui faire correspondre pour une part le « sous-texte » de Stanislavski). Mais si l'énoncé est nié : « non, il fume encore », tous les sous-entendus tombent du même coup ; ils sont toujours, contrairement aux présupposés, conditionnels et conjecturaux. L'ensemble des présupposés et sous-entendus dépend de l'univers* encyclopédique de l'énonciateur, tel qu'il est posé dans une œuvre littéraire par le scripteur. Non sans relation avec son univers à lui, scripteur, à l'ensemble de ses connaissances et de ses références. Un exemple : dans le *Macbeth* de Shakespeare, il est dit à propos de Malcolm, le fils du roi assassiné Duncan : « Malcolm sera roi. » Pour être compris dans le cours de la pièce, cet énoncé suppose un présupposé factuel : que Malcolm est le fils et l'héritier du défunt roi ; mais il est aussi conditionné par un présupposé politico-idéologique : que le fils du roi est l'héritier du pouvoir royal, joint à un présupposé factuel, que la loi salique règne en Écosse. Suit la batterie potentiellement infinie des sous-entendus qui peuvent être impliqués dans l'énoncé « Malcolm sera roi » : que Malcolm a toutes les qualités requises pour faire un bon roi... qu'il n'a aucune des qualités requises... que les barons vont l'aider et le soutenir... qu'ils n'en feront rien... Tous sous-entendus qui finiront par passer du non-dit au dit dans une grande scène du dernier acte.

3) Une part considérable du travail de la mise en scène, et particulièrement du travail du comédien, porte sur les diverses façons de montrer un non-dit. Ce dernier peut être d'autant plus important à mettre en lumière que, si l'univers encyclopédique de l'émetteur et du récepteur a changé, le non-dit ne fera plus partie de ce que tout le monde sait, de ce qui « va sans dire ». Et s'il n'est plus perçu, il faudra trouver les moyens scéniques de le montrer, de le faire comprendre : ce que représente la légitimité de Malcolm pour les barons écossais, par exemple, ou, dans l'ombre de la tragédie d'Andromaque, la catastrophe du génocide troyen. Si le comédien de Stanislavski doit montrer le sous-texte du discours de son personnage, il doit aussi mettre en lumière les présupposés et les sous-entendus qui composent l'univers de son personnage. Ainsi dans *La Mouette*, de Tchekhov, le discours de tous les personnages principaux est-il sous-tendu par un présupposé « idéologique » : que l'art est la suprême valeur, à laquelle tout doit être sacrifié... L'analyse et la

mise en lumière des divers éléments du non-dit sont l'un des points principaux où convergent la réflexion du metteur en scène et celle de l'acteur.
Bibliogr. : Ducrot, 1972.

OBJET

Un objet au théâtre est une « chose » figurant sur la scène, éventuellement manipulable par un comédien et trouvant place dans le texte comme lexème (c'est un « mot »).
1) Une chose n'est pas nécessairement un objet, mais toute chose devient un objet du fait d'être sur la scène et de prendre sens de cette position même : aucune chose sur la scène ne peut être de hasard, elle devient fruit d'une activité artistique. Par là même, l'objet devient signe, de par sa fonction à l'intérieur de l'ensemble des signes de la représentation : il devient signe parmi les signes. Mais aussi, du fait même qu'il n'a pas de fonction d'objet dans le monde « réel », il devient un signe référant au monde réel.
2) L'objet a un double statut sur la scène : a) un statut proprement sémiotique : en tant que signe d'un objet du monde réel (de valant pour), il est une icône de cet objet, et il a avec ce dont il est le représentant un rapport plus ou moins mimétique ; b) en tant qu'élément de la représentation, il a une existence autonome, avec une double valeur : esthétique, comme élément d'une construction esthétique, et sémantique comme partie dans la construction d'un sens de la représentation.
Les objets sont donc : a) des unités dans ce qu'on peut appeler le grand « texte » de la représentation (des sortes de lexèmes) ; b) des « unités sémiotiques », composées de traits distinctifs : ainsi une chaise a les traits de toute chaise (siège à dossier sans bras), mais elle a aussi le trait matière (bois, métal, plastique...), le trait style, le trait état (neuve, usagée...). L'observation de ces traits distinctifs des objets permet de voir le « style » de la mise en scène ; ainsi la prédilection pour les matières « naturelles », ou chez les brechtiens le goût de l'« usagé », de l'« usé ».
En tant qu'unités sémiotiques, les objets sur la scène font partie de divers ensembles qu'ils servent à constituer : par exemple un pot de caviar sur une table fait partie de l'ensemble nourriture et de l'ensemble objets de luxe ; offert par un homme riche à une jeune fille pauvre il pourra faire partie de l'ensemble (du para-

digme) objets de corruption ; éventuellement et selon le contexte il pourra faire partie d'un paradigme Russie ou Iran.
3) Le degré d'iconicité, c'est-à-dire de ressemblance avec l'objet dont il est le « valant-pour » : il peut être un double (une assiette identique à une assiette dans une cuisine), une réplique (un objet fabriqué pour cet usage : de faux billets de banque par exemple) ou une simple « stimulation programmée » (un dessin de cheval pour représenter l'animal vivant). Ce degré d'iconicité nous renseigne sur le mode de représentation : représentation naturaliste (▶ **Naturalisme**), dont le but sera de donner de l'univers extrascénique l'image la plus « ressemblante » possible ; représentation réaliste (▶ **Réalisme**), si la référence au réel s'accompagne d'un effort de stylisation ; représentation symboliste, si la référence au réel est la moins marquée possible et la distance la plus grande entre l'objet dans le monde et sa figuration scénique.
4) Fonction des objets : a) elle est d'abord utilitaire : une épée, quand un duel est prévu, un verre s'il faut boire (avec toutes les possibilités pour la mise en scène de détourner cette fonction) ; b) l'objet peut indiquer un lieu concret ou un état du monde : « effet de réel » ou métonymie éventuelle, non d'un lieu seul, mais peut-être d'un moment du monde ou d'un état de la société ; c) l'objet peut figurer symboliquement des réalités ou des personnes : ainsi la lune, figure de mort, ou la couronne, image symbolique traditionnelle de l'autorité royale (et inversement les mots trône, couronne, employés « métaphoriquement » dans un texte de théâtre, pourront être figurés scéniquement).
5) La fonction esthétique de l'objet est double : a) l'objet figure matériellement sur scène et fait partie de tableaux* dans lesquels il a par sa forme et sa couleur une valeur ; b) en tant que lexème il est un élément d'un texte. Et en tant que tel, il peut être une figure de rhétorique, métaphore, symbole... Il est doublement élément d'une poétique* de la représentation. Mais parfois sa complexité est assez grande pour qu'on l'analyse comme un texte organisé.
6) Si la caractéristique de l'objet est d'être manipulable, il a donc des rapports essentiels avec les acteurs : les objets peuvent être liés à un personnage (éléments de costume ou d'activité ou de goût), ou au contraire être la cause ou l'occasion de rapports entre les comédiens ; enfin ils peuvent être, et sont le plus sou-

vent, à l'origine de jeux : la fonction ludique de l'objet est fondamentale au théâtre.
7) Ne pas oublier la présence d'objets qui n'ont pas vocation à être représentés sur la scène, dont le statut est uniquement verbal, mais dont peut-être une mise en scène pourra donner l'idée ou la suggestion : par exemple les parties du corps dans le texte de Racine.
D'une façon très générale, l'invention de la mise en scène pourra toujours trouver des objets, modifier ceux qui sont prévus, voire les évacuer. L'objet théâtral est un des lieux de la créativité, celle du metteur en scène comme celle du scénographe ou de la gestuelle des comédiens.
Bibliogr. : Ubersfeld, 1977, 1995 ; Eco, 1978.

PARALINGUISTIQUE

L'adjectif (substantivé) définit tout le domaine des signes liés au langage qui ressortissent à son émission phonique : voix (timbre, intonation, accent, hauteur), intensité, articulation, rythme, phrasé, sans compter (ce n'est pas le moins important) la profération, c'est-à-dire l'orientation physique de la parole vers un destinataire (soi, l'allocutaire, le public).

PARODIE

Imitation de tel ou tel genre ou forme de théâtre – parfois de telle œuvre déterminée –, avec une intention dévalorisatrice. Il s'agit de faire rire au détriment : a) d'une forme tenue pour inférieure ou populaire (ou parfois novatrice) : le mélodrame, le drame d'épouvante, etc. ; on ne parodie guère la tragédie ou la grande comédie ; b) d'une œuvre qui connaît le succès, mais dont on juge les procédés trop voyants : ainsi les drames de Hugo, qui connaissent un succès populaire, sont-ils l'objet de toutes les parodies.
Les procédés de la parodie : a) abaissement du statut social des personnages : la princesse devient charcutière (ou parfois, plus rarement, la charcutière devient princesse, ce qui risque de n'être pas moins dévalorisant) ; b) changement du lieu ou du temps, qui, d'« élevés », deviennent lieux populaires et circonstances vulgaires ; c) mécanisation des procédés dramaturgiques par la multiplication aberrante (multiplication par exemple des poi-

sons et contre-poisons); d) grossissement du ton du dialogue et des actions dramatiques. Bref, tous les procédés de « vulgarisation » sont impliqués dans la parodie, mais c'est un genre qui ne fonctionne pas bien; on peut même dire qu'il s'agit d'un sous-genre inacceptable. En effet, la parodie, par la distance excessive qu'elle établit, casse la relation subtile identification/distance qui fait l'essentiel du plaisir du spectateur* ; et, par là, vulgarité et dévalorisation se retournent contre l'effet de satire.

PATHÉTIQUE

On entend par pathétique les sentiments éprouvés par le spectateur devant les tribulations des personnages. Aristote fait la théorie de la pitié et de la terreur, ressorts du pathétique (▶ **Catharsis**); Schiller, (Préface des *Brigands*) : « Le pathétique est la première condition qu'on exige le plus rigoureusement de l'auteur dramatique. » C'est la thèse d'Aristote*, et c'est le point principal de divergence avec Brecht* qui voit dans le pathétique un obstacle à la conscience critique.

PERFORMANCE

Terme d'origine anglo-saxonne, désignant au départ de multiples formes d'art ayant pour principes de base l'improvisation, l'aléatoire, le spectacle (avec présence de spectateurs et possibilité de « mise en danger » de l'artiste). En un sens plus large, le mot désigne l'*activité spectaculaire et concrète* d'un artiste de la scène.

PÉRIPÉTIE

Moment-clef où l'action se retourne et court au dénouement. Dans la tragédie classique la péripétie trouve en général sa place à la fin de l'acte IV : c'est à cette place, par exemple, que dans le *Britannicus* de Racine, Néron prend la décision d'assassiner Britannicus. Chez Shakespeare et chez les Espagnols du *Siglo de Oro*, la péripétie est souvent toute proche du dénouement et fait corps avec lui. C'est, semble-t-il, ce que préconise Aristote, qui lie la péripétie à la reconnaissance, par exemple celle de l'identité d'Œdipe.
Bibliogr. : Aristote, 1980 ; Brecht, 1979.

PERSONNAGE

Notion clef du théâtre, particulièrement difficile à cerner dans la mesure où le personnage, notion textuelle dont la fonction est d'être un élément dans une séquence narrative, est aussi le personnage, « support » d'un être humain, partie d'un ensemble de signes complexe, la représentation.

La notion même de personnage est rendue confuse par la double nature du personnage de théâtre, être de fiction auquel vient se conjoindre un être vivant. Le personnage est un être de papier auquel devra correspondre un artiste : double statut d'un être de fiction* – sujet d'un discours fictionnel –, et d'un être réel et concret, le comédien. D'où des difficultés pratiques ; le lexème personnage peut être le sujet d'énoncés ambigus : c'est l'« être de papier » qui aime, mais c'est le comédien qui dira les mots et fera les gestes de l'amour.

1) Du point de vue narratif, le personnage est d'abord un actant (▶ **Actantiel (modèle)**), donc il a un rôle dans le système actantiel (*ibid.*) de l'œuvre : il est le sujet, ou l'objet, ou l'adjuvant... à moins qu'il n'adopte successivement plusieurs rôles ; ainsi dans le *Nicomède* de Corneille, Attale est successivement l'opposant puis l'adjuvant de son frère Nicomède.

2) Du point de vue de l'action*, il est un acteur*, autrement dit il a un procès principal : il est l'amoureux (procès : désirer sa belle), ou le personnage paternel (protecteur, père de famille ou opposant aux amours), ou le guerrier (procès : se battre). Il adopte donc un rôle, qui peut être un rôle traditionnel, codé (▶ **Code**) : ainsi dans les comédies latines, l'entremetteur ou le valet, ou l'un des rôles de la *commedia dell'arte* ou même l'Arlequin des comédies du XVIIIe siècle. (Ce rôle codé peut être lié à la présence et au style d'un comédien ou d'une lignée de comédiens de même tradition). Ainsi la fonction acteur est souvent marquée par l'histoire du théâtre.

3) Le personnage est un individu, avec des traits distinctifs d'âge, de complexion physique, de famille, d'histoire personnelle, traits distinctifs qui, selon les formes de théâtre, peuvent être schématiques ou au contraire très complexes ; enfin, il a en général ce qui fait l'individu dans l'espèce humaine, un nom. Nécessairement, ces caractéristiques individuelles doivent être assez floues pour permettre à des comédiens très divers d'« incarner » tel personnage. (Avec parfois des distorsions : ainsi l'athlétique Gérard Philipe incarnant un Lorenzaccio dit

« maigre et souffreteux », ou tel Hamlet filiforme, quand le personnage est dit gras et vite essoufflé.) La difficulté (pour la mise en scène en particulier) est de savoir distinguer entre les traits pertinents et les traits accessoires ou aléatoires.
4) Le personnage est caractérisé par un discours ; discours d'un groupe, d'une classe sociale, idiolecte d'un individu. Le discours dépend d'une situation d'énonciation* générale ou particulière ; et il y a une relation de réciprocité entre les traits distinctifs du personnage et les caractéristiques de son discours ; avec toutes les possibilités de distorsions et de contradictions : ainsi un langage très distingué sorti de la bouche d'une servante apparemment fruste…
5) Le personnage (sauf l'exception du *one-man show*) n'est pas seul, il fait partie d'une configuration de personnages, avec lesquels il a des traits communs et des traits individualisants.
Bibliogr. : Hamon, 1977 ; Ubersfeld, 1981, 1995.

POÉTIQUE

Nous employons le mot en un sens restreint qui ne comprend pas l'organisation entière de l'écriture théâtrale, mais seulement son volet proprement « poétique » au sens que donne Jakobson à la fonction poétique orientée vers l'organisation du message lui-même.
1) Il y a une poétique propre au texte de théâtre, essentiellement rhétorique, que l'on peut reconnaître dans l'organisation des personnages comme dans les figures du discours (métaphores, métonymies, synecdoques…). Avec cette particularité que le théâtre peut représenter concrètement les figures de rhétorique : par les objets, la disposition spatiale, et même les acteurs.
2) Il y a dans le texte du dialogue des éléments non figurables et qui sont l'objet du travail de l'acteur ; ainsi les hypotyposes, qui apportent à l'imagination du spectateur ce qu'on ne peut ou ne veut lui montrer : la mort de Théramène, le suicide d'Ophélie, un paysage exotique…
3) Le fonctionnement proprement poétique du discours (figures, rimes, allitérations…) peut être entendu par le spectateur de façon consciente ou semi-consciente et le toucher émotionnellement (émotion affective, émotion esthétique).
Bibliogr. : R. Jakobson, 1963.

PRAGMATIQUE ▶ DIALOGUE

La pragmatique décrit l'usage que des parlants visant à agir les uns sur les autres font des énoncés. Discipline fondamentale pour comprendre le fonctionnement de la parole au théâtre.

PSYCHOLOGIE

Le théâtre, « imitation » d'actions et de paroles d'êtres humains, ne peut pas faire l'économie de la psychologie, mais par une aberration explicable, la psychologie fonctionne dans la plupart des réflexions critiques sur le théâtre comme un principe causal : tel personnage dit et fait ce qu'il dit et fait parce qu'il éprouve tel ou tel sentiment, désir, passion. Recherche vaine, trop facile, conduisant à des développements invérifiables, mais aussi sans contenu, parce que par nature le personnage de théâtre ne peut rien éprouver : il est un être de papier, entièrement situé dans les pages d'un livre ; seul le comédien, être vivant, peut éprouver. La psychologie du personnage est dans ce que le comédien montre, non d'un conjectural contenu psychologique, mais d'un comportement – actes, paroles, paroles-actes – (▶ **Dialogue**), autour de quoi le lecteur/spectateur peut toujours rêver : ainsi peut-il épiloguer, à propos de Lear, autour de sa « folie », ou autour d'une psychanalyse de l'inceste. Mais le travail du comédien est de montrer un être en action dans son rapport avec d'autres êtres ; ce qui est en question n'est pas tant une subjectivité qu'une intersubjectivité.

QUOTIDIEN (THÉÂTRE DU-)

Forme contemporaine du théâtre naturaliste, il s'en dégage par le fait capital que le quotidien ici n'est pas le monde social et matériel tel qu'on peut le reconstituer sur la scène, mais essentiellement le langage, le langage pris dans la vie quotidienne et donc comme trace ou manifestation de l'investissement de l'être par le monde, ou comme combat, défense, énergie. Les faibles et les exclus qui n'ont à leur disposition que le langage des maîtres ne le parlent pas sans d'étranges distorsions. On peut citer le théâtre de J.-P. Wenzel, M. Deutsch, F.-X. Kroetz, M. Vinaver.

RACONTER (LE -)

La tâche première du théâtre, c'est le raconter, l'acte de conter une histoire à un « spectateur », une histoire qui n'est pas nécessairement « pleine de bruit et de fureur » (Shakespeare), qui peut être toute simple, ou n'être qu'une « aventure intérieure ». Le raconter est à la base de tout théâtre épique, mais la part du raconter est toujours présente dans tout théâtre, même quand elle n'en constitue pas l'essentiel. Brecht « cherchait avec [ses comédiens] l'histoire que la pièce racontait, et il aidait chacun à trouver ses points forts », ceux de l'histoire, bien entendu (101). C'est dans le raconter que réside à la fois le plus grand plaisir (« si Peau d'Ane m'était contée, j'y prendrais un plaisir extrême », dit La Fontaine), et l'intelligibilité la plus claire du théâtre (intelligibilité de la fable*). Vitez insistait sur l'importance primordiale du raconter. ▶ **Fable**.
Bibliogr. : Brecht, 1963, 1979 ; Vitez, 1990.

RAMPE

La rampe est cette barrière de lumière (quinquets aux chandelles d'abord, puis éclairage plus vigoureux, gaz et enfin électricité) qui à la fois éclaire la scène et l'isole du public. Les progrès de l'éclairage sont aussi les progrès de l'isolement : jusqu'à ce qu'une révolution de l'espace, dont le point final est donné par Vilar, supprime la rampe, et change les rapports scène-salle.
▶ **Éclairage, espace**.

RÉALISME, RÉEL

1) Le mot, bien entendu, est ambigu ; dans son sens le plus plat, celui que donne le Littré : « En termes d'art et de littérature, attachement à la reproduction de la nature, sans idéal », il viserait plutôt le naturalisme. Dans le domaine du théâtre on ne peut le comprendre comme évoquant telle forme théâtrale constituée ; il est une tendance, une attitude, qui, des deux grandes fonctions du théâtre, le mimétique et le ludique, tend à privilégier la première (▶ **Mimesis**). Le réalisme au théâtre est le privilège donné à une vue des événements scéniques conforme à ce que souhaite la perception habituelle des événements du monde. Il est orienté vers la vraisemblance*, et porte sur les divers éléments de la représentation : costumes « attendus », diction

« naturelle », suite vraisemblable des actions. Mais le souci de réalisme peut ne pas se porter également sur tous ces éléments : de là des solutions diverses, et un rapport à chaque fois différent entre le travail de reconstitution d'un réel vraisemblable et la théâtralisation* (« rétablir, dit Brecht, le théâtre dans sa réalité de théâtre »).
2) Le réalisme est toujours un rapport entre l'évocation d'un réel, situé hors scène, dans le monde, et la construction d'un univers autonome sur la scène, construction qui se fait selon les lois propres de la création artistique. Meyerhold disait stylisation : « C'est une erreur d'opposer le théâtre stylisé au théâtre réaliste. Notre formule est : théâtre réaliste stylisé. »
3) D'autant que le réel est une notion obscure : elle désigne une réalité située « dans le monde », mais dans le domaine esthétique elle signifie non pas seulement la perception du monde, mais l'idée que s'en font les hommes qui la perçoivent. Cette idée est extraordinairement fluctuante : le « réel » d'un moment de l'histoire, voire celui d'un groupe humain, n'étant pas celui d'un autre. Par conséquent le rapport de l'art au réel est éminemment variable, procurant au spectateur le plaisir « de voir traitées comme provisoires et imparfaites les règles mises en évidence dans la vie en commun », mais aussi « l'effroi de l'incessante métamorphose » (Brecht, *Petit Organon*, n° 77).
4) Le réel au théâtre, c'est pour finir (ou pour commencer) avant tout le corps, les corps des acteurs, dans leurs rapports entre eux et avec l'ensemble du réel sur scène (espace, objets). Quand nous parlons de « réel » au théâtre, il s'agit toujours du rapport entre le réel sur scène et le réel dans le monde.
Bibliogr. : Meyerhold, 1973 ; Brecht, 1972, 1979.

RÉCEPTION

Le mot, emprunté à la théorie de l'information, désigne les divers processus par lesquels une série de stimulations d'ordre esthétique parviennent à la conscience du récepteur et produisent des effets (voir la théorie de la réception de H. R. Jauss). Mais dans le domaine de l'activité théâtrale, la réception va au-delà du schéma de la communication : « émetteur-message-récepteur ». Du point de vue temporel la réception implique le temps théâtral, celui de l'accès matériel au théâtre et déjà celui d'une « enquête » préalable : « L'activité théâtrale se situe bien

sûr pour une part au niveau de la représentation du spectacle, mais d'autre part, elle commence avant, se continue pendant, et se prolonge après, quand on lit des articles, quand on parle du spectacle, quand on voit les acteurs, etc. C'est un circuit d'échanges qui touche l'ensemble de notre vie » (P. Voltz).
On pourrait ajouter qu'il y a un conditionnement culturel antérieur à toute activité de spectateur, celui de l'école, celui des spectacles antérieurs, et même celui d'une éducation d'ensemble du regard, faite à l'aide de toutes les œuvres d'art, mais aussi du spectacle actuel du monde, tel qu'il s'offre aux hommes. Un exemple : Ariane Mnouchkine peut faire jouer Shakespeare dans un espace et avec des costumes japonais, parce qu'une part importante du public a vu au cinéma et à la télévision des films japonais : la réception est préparée.
Bibliogr. : Jauss, 1978 ; Voltz, 1974.

RÉCIT

Le mot « récit » a au théâtre deux sens bien distincts. Il est un équivalent de fable* et désigne l'enchaînement des actions suivant l'ordre diachronique. Mais il a aussi le sens de discours exposant une succession d'actions qu'il importe au spectateur de connaître ; ainsi y a-t-il dans le théâtre classique des récits au cours de l'exposition, chargés de faire connaître les événements qui ont précédé et préparé la situation* actuelle : récits intégrés ou non au dialogue, présentés sous forme d'échange (voir tout le premier acte de l'*Andromaque* de Racine), ou de grande tirade (voir la première scène de la *Rodogune* de Corneille). Dans le théâtre classique on retrouve les récits au moment de la péripétie* (récit de la bataille des Maures dans *Le Cid*, de Corneille) ou du dénouement*, par exemple le fameux récit de Théramène.
Bibliogr. : Schérer, 1950.

RÉFÉRENT

Le mot désigne le troisième élément du signe* (signifiant, signifié, référent), celui qui, dans la terminologie de Peirce, réfère précisément au monde extérieur. Or, le signe théâtral concret est le lieu d'un phénomène étrange : le signe linguistique présent dans le texte du scripteur réfère, comme tout signe, à un élément de la réalité, cette réalité fût-elle imaginaire (un arbre, une table,

un homme, un griffon, un sphinx...). Il a donc un référent, mais ce référent est double : le mot « table » ou « cuisinier » renvoie à une table, à un cuisinier (ou à l'idée d'une table ou d'un cuisinier), mais voici présents sur la scène une table concrète et un cuisinier en chair et en os. On voit là toute l'ambiguïté des mots « réel », « réalisme » : il y a un réel dans le monde, mais il y a aussi un réel sur scène à quoi réfèrent les signes textuels. Un élément sur la scène a donc, du point de vue sémiotique, un double statut : il est un signe, partie d'un ensemble sémiotique qui est celui de la représentation, et il est le référent, pris dans un réel objectif, d'un signe linguistique textuel. Une bonne part des ambiguïtés notionnelles au théâtre proviennent de ce double statut du signe scénique : les mots du texte réfèrent à une double réalité sur scène et hors scène.
Bibliogr. : Peirce, 1978.

RÉGIE, RÉGISSEUR

Le régisseur est le responsable de l'organisation matérielle du spectacle. Autrefois seul et vrai « metteur en scène » par le fait qu'il réglait espace, décor, occupation du plateau, enchaînement des séquences, il est devenu à la fin du XIXe siècle le second du metteur en scène, chargé de toute la part matérielle. Mais un Vilar se disait « régisseur », mettant l'accent sur l'aspect logistique et humble de toute représentation.

RÈGLES

La question des règles a occupé pendant des siècles la réflexion sur le théâtre. Les observations d'Aristote*, conçues en fonction d'un type très déterminé de théâtre, avec des contraintes matérielles et socio-culturelles très strictes, sont des conseils et des recommandations plus que des règles au sens étroit du mot : la scène du théâtre antique n'aurait guère supporté la figuration de lieux trop divers et trop pittoresques, et toute rupture temporelle aurait rendu l'action peu compréhensible. Or le théâtre est fait pour toute la cité, il faut qu'il soit intelligible par tous. De là aussi, évidemment, l'unité d'action. Mairet, contemporain et rival de Corneille : « [...] l'unité d'action, c'est dire qu'il y doit avoir une maîtresse et principale action à laquelle toutes les autres se rapportent comme les lignes de la circonférence au centre »... D'Aubignac, théoricien du XVIIe siècle : « Qu'il demeure donc constant que le lieu, où le premier acteur qui a fait l'ouverture du Théâtre est supposé, doit être le même jusqu'à la fin de la pièce, et que ce lieu ne pouvant souffrir aucun changement en sa nature, il n'en peut admettre aucun en la représentation. » Mairet : « La troisième et la plus rigoureuse est l'ordre du temps que les premiers tragiques réduisaient au cours d'une journée, et que les autres, comme Sophocle en son Antigone [...] ont étendu jusqu'au lendemain. » Corneille discute et s'efforce d'assouplir le carcan. Mais c'est un carcan pour lui : le sens véritable des règles – et particulièrement des unités – est qu'il détermine un certain type d'action : concentration et réduction événementielle contre richesse historique et polycentrisme de l'espace et de l'action – théâtre classique contre théâtre baroque. Le romantisme, revenant nécessairement au baroque, puisqu'il veut peindre l'histoire, livre un combat contre les unités ; ainsi Hugo : « Mettons le marteau dans les théories, les poétiques et les systèmes. Jetons bas ce vieux plâtrage qui masque la façade de l'art ! Il n'y a ni règles ni modèles : ou plutôt, il n'y a d'autres règles que les lois générales de la nature qui planent sur l'art tout entier. »

Mais à côté des règles des unités, fondées, on le sait, sur la prescription fondamentale de vraisemblance, il y en a d'autres, d'origine sociale, changeantes comme les sociétés, et qui sont des lois de convenance ou de « bienséance ». Ainsi l'âge classique interdisait la vue d'un assassinat sur la scène et, jusqu'à une date récente, la nudité et les plus innocents attouchements étaient proscrits.

Bibliogr. : Mairet, 1975 ; d'Aubignac, 1927 ; Hugo, 1968.

RÉPÉTITION

Travail des comédiens, en principe sous la direction du metteur en scène, précédant et préparant la représentation. Elle peut se faire – et se fait souvent, au début – à la table : metteur en scène (parfois aussi le dramaturge*) et comédiens, assis, lisant et commentant le texte qu'ils représenteront. Elle se fait dans l'espace de la scène, avec ou sans décor, avec ou sans costumes. Certains metteurs en scène ne font jamais de travail à la table, construisant et vérifiant leurs hypothèses « à chaud », les relations spatiales étant présentes et visibles (Vitez).

RÉPLIQUE

Énoncé d'étendue variable, dit par un personnage à l'intention d'un autre, en général au cours d'un échange. L'idée même de réplique suppose l'existence d'un acte de langage au sens pragmatique du terme, instituant, modifiant, supprimant un contrat d'interlocution et faisant une action : ainsi quand un personnage donne un ordre à un autre, il institue un contrat, que la réplique-réponse de son allocutaire peut confirmer (ou infirmer, si c'est un refus d'obtempérer).

REPRÉSENTATION

Dans l'idée de « représentation », il y a celle de présenter une seconde fois, ou bien – là est la première équivoque du mot – l'idée de présenter à nouveau, grâce au théâtre, ce qui a déjà existé dans la réalité. C'est autour de cette équivoque sémantique que se joue la signification même du théâtre : le théâtre est-il la répétition, par le moyen d'un artefact, de ce qui a déjà été vécu une fois ? Ou est-ce une façon de montrer les choses, de les présenter d'une manière telle qu'elle soit reproductible (mais aussi éclairante, si possible…). Peut-être le mot qui convient serait-il le mot de présentation : faire théâtre, c'est présenter au spectateur un monde concret, signifiant.
Pour compliquer les choses, le mot de « représentation » désigne dans le domaine de la perception le pouvoir qu'a le sujet de « rendre présents » des éléments du réel non actuellement disponibles.

RHÉTORIQUE

Les grandes figures de la rhétorique se retrouvent bien entendu dans le texte de théâtre comme dans n'importe quel texte littéraire, et il n'est pas difficile d'y repérer métaphores, métonymies, synecdoques ou oxymores, mais aussi cette figure typique de la rhétorique au théâtre, l'hypotypose, figure par laquelle le texte propose à l'imagination du spectateur/lecteur des images et des tableaux qu'on ne peut montrer matériellement sur scène. La rhétorique théâtrale trouve aussi sa place dans la représentation, et c'est l'un des apports de la sémiologie que de montrer au travail dans la représentation comme texte et dans les signes scéniques les grandes figures rhétoriques : objets-métaphores, objets-

métonymies ou personnages-métaphores, etc. Mais les figures joignent aussi éléments textuels et signes scéniques : les objets peuvent apparaître métonymies d'un personnage ou métaphores d'un thème... Ce qui est alors mis en lumière c'est une poétique* de la représentation – ce qui met quelque peu à distance l'idée de la représentation comme « traduction » d'un texte.
Bibliogr. : Ubersfeld, 1981, 1995.

SCÈNE

Le mot scène a deux sens : il désigne le lieu où se produisent les comédiens, par opposition à la salle, lieu où se trouvent les spectateurs. ▶ **Espace.**
Il désigne aussi une séquence du texte théâtral, qui, du moins dans le théâtre classique, correspond à une configuration de personnages ; si l'un survient ou se retire, on a une autre configuration, donc une autre scène. Dans la dramaturgie baroque ou contemporaine, le mot « scène » a un sens moins strict.

SCÉNIQUE (ACTE -)

L'acte scénique d'un personnage est composé des actes de langage et des actions physiques qu'il effectue et qui constituent un ensemble auquel on pourrait donner un nom. Exemples d'actes scéniques : le roi Lear s'efforce de ramener à la vie sa fille Cordélia ; Hamlet tue Polonius ; Hermione injurie Oreste qui l'a vengée. L'acte scénique peut être considéré comme un texte complexe d'une relative unité, déterminant une séquence ou une micro-séquence.

SCÉNOGRAPHE, SCÉNOGRAPHIE

Le scénographe est l'artiste responsable de tout l'appareil visuel de la représentation. De lui dépendent ces autres artistes qui sont le costumier et surtout l'éclairagiste, dont l'autonomie est réelle, mais soumise à ce maître de l'espace qu'est le scénographe. Comme nous sommes dans une civilisation du visuel, le rôle du scénographe s'accroît démesurément, au point que les grandes réussites dans la mise en scène sont le plus souvent le fruit d'une osmose véritable entre metteur en scène et scénographe.

Souvent se justifie la formule : « Le scénographe est un maître et le metteur en scène, royalement, son valet. »
Dans la mise en scène contemporaine, la scénographie est une construction qui a moins pour but de recréer un espace concret mimétique, voire symbolique, que de fabriquer pour chaque œuvre théâtrale un espace qui la représentera le plus clairement et le plus complètement possible. Ce sera en même temps un « espace à jouer » commode pour le jeu particulier qui sera celui de ces personnages-là, c'est-à-dire des acteurs qui les assumeront. La contradiction de la scénographie contemporaine, c'est que dans le temps même où elle voit son rôle grandir, elle est contrainte de s'arranger de l'espace vide qui est la mode mais aussi la nécessité du théâtre contemporain.
Son rôle est de construire avec les structures spatiales élémentaires (cube, parallélépipède, plateau plus ou moins incliné, praticables[1], fond) et les éléments figurés (objets et personnages) des tableaux esthétiquement efficaces et « lisibles ». ▶ **Espace.**

1. Partie de l'espace scénique plus ou moins surélevée, « machine à jouer ».

SÉQUENCE

Tout texte théâtral se divise en éléments, en « séquences », de structure diverse. Outre les grands « moments » de la tragédie tels que les définit Aristote, la dramaturgie classique détermine de grandes séquences, les actes*, dont la division est marquée par une pause, souvent aléatoire, et des séquences moyennes, les scènes*. La dramaturgie du *Siglo de Oro* voit dans les grandes séquences des journées, parfois éloignées dans le temps, tandis que chez Shakespeare grandes et moyennes séquences sont marquées par le passage d'un « espace » à l'autre des trois « espaces » du théâtre du Globe (la *plat-form*, le *recess* et la *chamber*). Dans le théâtre contemporain, très souvent la séquence est courte, ne s'organise pas nécessairement en grandes masses et est ponctuée par un noir : dramaturgie du discontinu.
Les micro-séquences, elles, sont déterminées par un acte de langage* principal (une interrogation suivie, ou des reproches ou une demande (▶ **Langage**), ou bien par un acte scénique*.
Bibliogr. : Ubersfeld, 1995.

SIGNE

On sait que le signe se compose de trois éléments liés inséparablement : un signifiant, un signifié et un référent. On peut analyser le texte de théâtre à l'aide des outils linguistico-sémiotiques, comme tout autre texte littéraire (avec la présence d'un certain nombre de caractéristiques particulières qui justifient des analyses sémiotiques propres aux textes de théâtre – ▶ **Actantiel et Texte**). Quant au théâtre joué, il présente un empilage de signes (de substances variées de l'expression), dont la caractéristique est de n'être pas autonomes, mais articulés entre eux.

1) Le concept de signe est essentiel pour la compréhension du théâtre, pour laquelle la sémiologie est utile : la représentation* est un complexe de signes visuels, auditifs, linguistiques (phoniques), dont l'ensemble est à la fois objet et texte (« la représentation comme texte »). Objet dont on peut analyser la matérialité et le fonctionnement, texte dont on peut démêler les structures et les composantes rhétoriques.

2) Chacun des signes comporte un signifiant (ses éléments matériels), un signifié (sa signification évidente), mais aussi une signifiance (ou plus simplement un sens). Or ce dernier ne se comprend que par rapport aux autres signes et aux conditions d'émission de ces signes. Un mot dans le dialogue ou un objet sur scène sont des signes ayant un signifié manifeste, mais ne prenant sens que de l'ensemble des signes de la représentation.

3) Le troisième élément du signe n'est pas le moins important. Si comme tout signe, le signe sur scène a un référent, ce dernier est double : le réel dans le monde et le réel sur la scène (▶ **Référent**). De là un jeu extraordinaire entre ce qui est le réel scénique et le réel extra-scénique : c'est ce qui fonde la possibilité pour le théâtre d'apparaître un modèle réduit du monde et de nourrir la réflexion critique sur le monde des spectateurs – mais aussi d'apporter au spectateur les émotions dont il a besoin. Or ces émotions, ce qui les lui procure au théâtre, c'est un réel concret, mais où les émotions précisément ne subissent pas la sanction contraignante des lois du monde. ▶ **Dénégation**.

4) Le signe théâtral comporte une part iconique sans laquelle il ne serait ni perçu, ni compris, mais il est aussi un élément d'un ensemble esthétique. D'où cette part d'arbitraire que signalait Roland Barthes : « Le signe doit être partiellement arbitraire,

faute de quoi on retombe dans un art [...] de l'illusion essentialiste. » (88)
Bibliogr. : Barthes, 1963 ; Ubersfeld, 1977, 1995.

SITUATION

La notion de situation, perpétuellement utilisée au théâtre, ne laisse pas d'être floue. Généralement, elle comprend tout ce que doit savoir le spectateur pour comprendre le déroulement de l'action, donc l'ensemble des éléments qui expliquent le rapport des personnages entre eux et avec leur univers (matériel, social, passionnel). On peut dire que l'action théâtrale se résume dans le rapport entre une situation de départ et une situation d'arrivée ; différence porteuse de sens. Souvent la situation de départ contient un déséquilibre soudain qui actualise un conflit latent ; et l'on peut distinguer entre les dramaturgies où le déséquilibre est antérieur au début de l'œuvre (ainsi Racine chez qui le tragique est toujours déjà-là), et les dramaturgies comme celles de Shakespeare qui montrent comment se creuse la faille tragique (*Le Roi Lear*, *Macbeth*).

SOLILOQUE ▸ MONOLOGUE

SOUS-TEXTE ▸ NON-DIT

SPECTACLE

Le mot spectacle a deux sens.
1) Il désigne toute manifestation produite par des êtres humains devant d'autres êtres humains qui y trouvent plaisir. Spectacle une danse, un match de boxe ou de football, un défilé, tout comme une représentation théâtrale. Ce n'est que par un abus du terme que l'on peut tenir pour spectacle un film ou une manifestation télévisuelle, qui sont images et non présence actuelle des émetteurs. Parmi les spectacles on peut distinguer ceux qui font sa place à la fiction et ceux de la pure performance, comme une manifestation sportive. Entre les deux, la danse, dans laquelle la part de la fiction peut être grande.
2) Il désigne dans la manifestation théâtrale tout ce qui fait du

théâtre une réalisation visuelle et pour les artistes une performance* : décor, costume, lumière, gestuelle et parole des comédiens, musique et danse. C'était pour Aristote (les avis ont bien changé depuis) la partie la moins intéressante du théâtre : « Quant au spectacle, qui exerce la plus grande séduction, il n'a rien à voir avec l'art » (*Poétique,* VI). ▶ **Performance, Théâtralité.**

Bibliogr. : Aristote, 1980.

SPECTATEUR

Le spectateur est l'autre participant vivant de la représentation théâtrale. Il est l'Autre de l'acteur, son perpétuel allocutaire, le destinataire de sa pratique. Il n'est pas passif, et il n'est nullement nécessaire pour le rendre actif de le faire bouger ou changer de place ou de le mélanger aux acteurs ; le comédien serait-il assis sur les genoux du spectateur qu'une barrière à 10 000 volts l'en séparerait encore. Pas passif du tout, ce spectateur, fortement actif quoique immobile, d'une activité multiple, sensorielle, émotionnelle et intellectuelle. Il reçoit les informations, les trie, choisit ce qui l'intéresse, focalise (▶ **Focalisation**) sur ce qui le touche, reçoit des chocs esthétiques, reconstruit des tableaux. Il reçoit les sentiments montrés par l'acteur-artiste, leur répond par la réaction (psychique) appropriée. Intellectuellement, il comprend ce qu'il voit en relation avec son univers propre, sa compétence esthétique, son univers* idéologique.

A. Préalables

Avant le spectacle, le spectateur est impliqué :

1) par la demande ou les demandes implicites qu'il formule : la demande d'un spectateur d'un théâtre de boulevard n'est pas la même que celle d'un spectateur dans un théâtre d'art et d'essai. La demande est conditionnée par la place du spectateur dans la société, par sa culture et par l'ensemble de son univers* encyclopédique ;

2) par le contrat qu'il a signé en achetant son billet. Il sera spectateur, c'est-à-dire : a) qu'il ne prendra pas pour vérité ce qui lui sera proposé ; b) corollaire : il n'interviendra pas pour changer le cours des événements qu'il verra/entendra ; c) il lui sera loisible de manifester approbation ou désapprobation en émettant des signes codés.

B. La réception par le spectateur

1) La réception est un acte complexe qui se fait sur deux axes : a) l'axe diachronique, le spectateur suivant l'action et éprouvant les réactions affectives et la situation psychologique d'attente propre au suspens dramatique ; b) l'axe des combinaisons, par lequel il reçoit toute une série de messages simultanés (verbaux, gestuels, musicaux, visuels) et les recompose instant par instant. Le croisement des deux axes de la réception contraint le spectateur à une perception « acrobatique », d'autant plus riche que son expérience théâtrale est plus élaborée.

2) Elle est individuelle : elle ne dépend pas seulement de l'univers propre de chacun et de son expérience de spectateur, mais plus encore du désir individuel de s'intéresser au décor, au jeu de tel acteur qu'il connaît ou qui lui plaît, à la signification politique ou idéologique de l'action, ou même au discours particulier de tel personnage.

3) L'acte même de la perception théâtrale est conditionné par le phénomène de la dénégation* qui conduit le spectateur à réagir devant le spectacle à la fois comme devant un spectacle de la vie, et comme devant une œuvre d'art séparée de la vie réelle et qui demande à être perçue esthétiquement. Il s'ensuit un double mouvement d'adhésion et de retrait devant ce qui est montré, mais en même temps un état de stimulation esthétique.

4) Le plaisir du spectateur – chose essentielle, Brecht le montre mieux que quiconque – est à la fois : a) celui du conte, lié à la fonction du raconter* ; b) celui de l'émotion passionnelle ; c) le plaisir de comprendre et même de deviner quand des énigmes lui sont proposées, plus ou moins dénouées dans le mouvement même de l'action ; d) enfin le plaisir esthétique de recevoir plusieurs types de messages ensemble, ceux provenus du travail du scénographe et de l'activité du comédien en particulier (le travail du metteur en scène n'étant clairement perçu que dans l'après-coup). A quoi s'ajoute un plaisir particulier, celui de l'illusion, immédiatement déjouée par la réflexion, l'une et l'autre se succédant dans un battement quasi instantané.

5) L'activité du spectateur a des conséquences sur tout le travail de la représentation et particulièrement sur le travail du comédien. Même si le spectateur n'extériorise pas bruyamment ses réactions, elles sont perçues par l'émetteur : un silence absolu, subit, une immobilité accrue (le spectateur « retient son souffle ») indiquent au comédien le moment où il touche. Brecht

dit : « L'effet de la performance[*] artistique sur le spectateur n'est pas indépendant de l'effet du spectateur sur l'artiste. » (271). ▶ **Communication théâtrale.**
Bibliogr. : Brecht, 1979 ; Gourdon, 1982 ; Jauss, 1978 ; Ubersfeld, 1981, 1995.

SUBLIME

Catégorie esthétique, désignant un sentiment dont la caractéristique est de faire sortir celui qui l'éprouve des limites habituelles de la perception du beau, pour le conduire vers la grandeur et/ou l'horreur. C'est un concept esthétique dont le théâtre fait un plus grand usage qu'on ne l'imagine. Au grammairien Longin (213-273) est attribué à tort un *Traité du sublime* dont, paradoxalement, Boileau s'inspire. Pour Hugo (*Préface de Cromwell*), le sublime est l'Autre du grotesque, qui a en commun avec lui le fait d'être une figure du trop, de ce qui est au-delà des barrières du raisonnable et du convenable.
Lié, comme le montre Kant, à la faculté de juger, le sublime est ce mouvement du moi percevant qui, devant ce qui excède la satisfaction de son ego, ou ce qui le viole carrément, s'élève au-dessus des contraintes pour retrouver une satisfaction et une sérénité inexplicables selon les ressorts naturels. Ainsi, c'est le dépassement des sentiments « naturels » du moi qui définit le sublime cornélien et procure au spectateur une jouissance particulière.
Bibliogr. : Kant, *La Critique du jugement* ; Hugo, 1968.

TABLEAU

Le tableau au théâtre est cette division qui succède, dans le drame* et particulièrement le drame bourgeois, aux actes du théâtre classique. L'idée du tableau est celle d'une action faite pour produire des constructions scéniques orientées vers le visuel. Le mot, dont l'emploi dans le domaine du théâtre remonte à Diderot, renvoie aussi à la présence de figurations scéniques propres à concurrencer la peinture.
Beaumarchais le premier remarque dans une didascalie du *Mariage de Figaro* (II, 4) : « Ce tableau est juste la belle estampe d'après Van Loo, intitulée *La Conversation espagnole*. »

TEMPS

Le temps au théâtre a deux significations : la durée et le moment (la place dans la diachronie).

A. La durée

Le temps au théâtre est d'abord une durée.

1) La durée absolue de la représentation, avec ses accompagnements : la préparation au spectacle, le trajet, l'achat du billet, l'attente avant le début, finalement les moments après la fin du spectacle. Cette durée est extraordinairement variable selon le rapport de la représentation à la vie de la cité. Représentations longues en relation avec la fête dans l'Antiquité, à un moindre degré au Japon (nô), ou en Inde (kathakali). Représentations longues à caractère mondain, fêtes à Versailles sous Louis XIV ou kabuki japonais. Le théâtre immédiatement contemporain retrouve l'usage des représentations longues, surtout dans les festivals : *Le Mahabharata* (Peter Brook) ou *Le Soulier de satin* de Claudel (monté par Vitez). En revanche, le théâtre bourgeois du XIXe siècle ou le théâtre de boulevard en restent toujours à des représentations courtes, commodes et « digestives ». Entre les deux, tout un éventail de durées, mais en gros s'établit un clivage entre ce qui peut s'apparenter à la cérémonie (longue) et ce qui est de l'ordre du divertissement.

2) La durée relative, c'est-à-dire le rapport existant entre la durée réelle vécue par le spectateur et la durée des événements de la fiction. C'est ce rapport qu'on appelle proprement le temps théâtral, et qui a été l'objet de discussions innombrables, d'Aristote au romantisme. L'idée de base du théâtre classique est que la durée imaginée des événements fictionnels ne doit pas trop excéder la durée de la représentation. Éviter, dit Boileau, les situations (proprement baroques) par lesquelles le héros, « enfant au premier acte, est barbon au dernier ». Telle est la querelle de l'unité de temps.

3) Relève du temps théâtral la question du rythme des séquences : séquences courtes se suivant à un rythme rapide et séparées par des intervalles (pauses ou noirs) qui permettent d'imaginer une rupture temporelle, ou au contraire séquences longues privilégiant la continuité temporelle. Sans compter le problème épineux de l'entracte.

4) De toute manière, le temps du théâtre est toujours un temps festif dont la durée psychique n'est pas celle de la quotidienneté.

B. Le moment

Le temps théâtral est aussi celui du moment de la fiction, c'est-à-dire celui de la référence « historique », il y a deux mille ans ou il y a dix ans, ou la semaine dernière. Avec cette difficulté que le théâtre (texte et représentation) ne peut pas ne pas renvoyer à un présent, celui de l'écriture et celui de la manifestation théâtrale ; le texte de théâtre ne peut s'écrire, on le sait, que dans le système du présent, (présent, passé composé, imparfait, excluant le passé simple, sauf dans la langue archaïque).

Par nature, peut-on dire, il existe un double rapport temporel, d'une part entre le moment de l'écriture de l'œuvre et le moment de la représentation, d'autre part entre le présent de la représentation et le moment de la fiction – le travail de la mise en scène prenant nécessairement en compte ce double rapport, qu'elle tienne à le souligner ou qu'elle le gomme tant qu'il lui est possible : dans le premier cas on insistera sur la différence historique, dans le second sera visible l'effort pour combler le fossé (entre le XVIIe siècle et nous, par exemple).

Il n'est pas impossible à la mise en scène d'inventer un autre référent*, qui ne sera ni celui du présent, ni celui de la fiction ; en ce cas s'établira entre tous ces systèmes (trois ou quatre, y compris le temps de l'auteur) une chaîne complexe de rapports (trop complexe peut-être) : ainsi peut-on jouer le *Jules César* de Shakespeare dans le contexte du fascisme des année 30... (quatre référents alors : l'Antiquité, le temps de Shakespeare, 1930, le moment présent).

C. Dire le temps

S'il est si difficile de dire le temps au théâtre (durée et date), c'est que ni la durée, ni l'histoire ne peuvent être perçues directement : il y faut la médiation de l'espace. Les signes du temps sont nécessairement inscrits dans l'espace, à l'exception du rythme (des séquences et de la diction). Le temps théâtral dépend donc moins du texte que de la mise en scène : choix des références, choix des signes. Le metteur en scène est le maître du temps.

TEXTE

Le mot texte au théâtre désigne bien entendu le texte produit par le scripteur ; mais il existe un texte (écrit ou parlé, parfois consigné par un témoin, ou enregistré) qui est celui du metteur en scène, para-texte ou commentaire, mais surtout texte didas-

calique (▶ **Didascalies**) qui prolonge, précise, modifie les didascalies du texte premier.
Surtout, il existe un texte sémiotique constitué par l'ensemble des signes de la représentation, texte total (« la représentation comme texte », selon M. De Marinis), composé des divers « ensembles textuels » que l'on peut construire autour d'un acteur ou d'un objet scénique.
Bibliogr. : Ubersfeld, 1995 ; De Marinis, 1979.

THÉÂTRALISATION

1) Transformation d'un texte non théâtral (roman ou épopée) en texte pour la scène.
2) Construction sur scène d'un ensemble de signes qui disent : « Nous sommes au théâtre. »

THÉÂTRALITÉ

Mot de sens si confus qu'il finit par être un cache-misère, et ne plus désigner que… le théâtre. La théâtralité d'un texte, c'est le fait qu'il peut être joué sur la scène. La théâtralité d'un spectacle est le fait qu'il peut être tenu pour du théâtre. Allant plus loin, Barthes dit : « Qu'est-ce que la théâtralité ? C'est le théâtre moins le texte, c'est une épaisseur de signes et de sensations qui s'édifie sur la scène à partir de l'argument écrit. » Voilà, on l'avouera, une définition qui ne brille pas par la clarté : ce qu'elle définit, c'est le résidu d'une opération abstraite qui consisterait à extraire de l'ensemble de la représentation ce qui est « le texte » ; opération impossible : il faudrait du même coup éliminer la voix de l'acteur et tout le paralinguistique*, sans compter le rapport gestuelle-parole… D'une façon limitée, on peut parler de théâtralité à propos de la présence dans une représentation de signes qui disent clairement la présence du théâtre. Par extension, et de façon peut-être discutable, on peut appeler théâtralité le fait que tel échange vécu a la densité d'un échange scénique, ou que l'on peut repérer dans des échanges parlés la présence de jeux de rôles : ainsi les psychanalystes peuvent-ils parler de « théâtralité » à propos de la vie psychique.
Bibliogr. : Barthes, 1964.

THÉÂTRE DANS LE THÉÂTRE

Il existe un certain nombre d'œuvres qui supposent la présence à l'intérieur de l'espace scénique d'un autre espace, où prend place une représentation théâtrale. La situation est alors la suivante : les spectateurs de la salle regardent d'autres spectateurs (qui sont des acteurs) regarder une représentation donnée par d'autres acteurs : figuration en abîme de l'acte théâtral. Le résultat est paradoxal : par une sorte d'inversion de la dénégation, les spectateurs de la salle voient comme vérité ce que les spectateurs-acteurs voient comme illusion théâtrale. On ne s'étonnera pas si le théâtre dans le théâtre est le lieu de la manifestation de la vérité : témoin la célèbre « scène des comédiens » dans *Hamlet*, où les comédiens jouent devant le meurtrier la scène de son meurtre. Le phénomène est analogue au fait psychique reconnu par Freud : quand on rêve qu'on rêve, le rêve « intérieur » dit la vérité… Dans *L'Illusion comique*, de Corneille, le spectacle interne dit la vérité concrète du théâtre.

TRAGÉDIE

Aristote donne de la tragédie une définition très précise : « La tragédie est la représentation d'une action noble, menée jusqu'à son terme et ayant une certaine étendue, au moyen d'un langage semé d'assaisonnements d'espèces variées, utilisés séparément selon les parties de l'œuvre ; la représentation est mise en œuvre par les personnages du drame et n'a pas recours à la narration ; et, en représentant la pitié et la frayeur, elle réalise une épuration de ce genre d'émotions » (VI, 53). Les « assaisonnements d'espèces variées » correspondent aux mètres variés de la prosodie, mais surtout aux chants et danses qui sont partie intégrante de la tragédie antique.

La tragédie grecque naît au moment même où naît la cité d'Athènes, sous sa forme de démocratie, et dure à peu près un siècle. C'est une forme d'art en liaison directe avec la cité ; d'origine sans doute religieuse (issue, selon Aristote, du dithyrambe, un chant religieux, ou peut-être d'autres formes cultuelles), elle est jouée lors de fêtes officielles, les Dionysies ; trois auteurs sont élus par concours pour présenter leurs œuvres ; celles-ci seront montées avec l'argent public fourni par un impôt, la chorégie, payé en alternance par les plus riches (devenus bon gré mal gré sponsors). Quant aux plus pauvres, ils tou-

chent une petite subvention pour leur permettre d'assister aux représentations.
La tragédie athénienne garde de son caractère civique des traits essentiels : le fond en est le conflit du héros et de la cité. Parfois le conflit est celui des conceptions archaïques du héros et des réalités actuelles de l'État et de la démocratie ; parfois le conflit est d'ordre moral et religieux. Ce qu'illustrent les tragédies-cultes que sont *Les Perses*, *Prométhée enchaîné*, d'Eschyle, *Antigone*, *Œdipe-Roi*, de Sophocle, *Les Troyennes*, d'Euripide.
La tragédie française classique met en scène, elle aussi, le conflit des héros avec des lois qui les dépassent. Ces lois, chez Corneille, ils les transcendent par l'héroïsme ou le sacrifice ; chez Racine, elles les détruisent, parce qu'ils sont déjà prisonniers : ligotés par une faute antérieure, le sac de Troie (*Andromaque*) ou celui de Jérusalem (*Bérénice*) ou le fatal amour de Phèdre.
On parle de « tragédie » à propos de Shakespeare quand la structure de l'œuvre correspond plus ou moins au schéma du héros en face de la cité et de ses lois : *Macbeth*, *Le Roi Lear*, *Coriolan*, *Antoine et Cléopâtre.*
Dans tous les cas, la tragédie se dénoue selon la « loi », entendue en son sens le plus large, procurant au spectateur la satisfaction d'un apaisement que « la tragédie nous procure par la vue de l'éternelle justice qui imprègne de son pouvoir absolu la justification relative des fins et des passions unilatérales » (Hegel, 379).
Bibliogr. : Aristote, 1980 ; Hegel, 1965.

TRAGIQUE

Le sentiment du tragique est celui qu'éveille la tragédie*, mais il va au-delà. Très difficile à définir, il a peut-être été approché au plus près par Hegel : « Le tragique consiste en ceci : que dans un conflit, les deux côtés de l'opposition ont en soi raison, mais qu'ils ne peuvent accomplir le vrai contenu de leur finalité qu'en niant et blessant l'autre puissance qui elle aussi a les mêmes droits, et qu'ainsi, ils se rendent coupables dans leur moralité et par cette moralité même » (377). Analyse que reprendra Goldmann à propos de Racine. Le tragique consiste donc dans la présence en un même lieu de deux exigences contradictoires, l'une et l'autre douées à la fois de force et de valeur, et dont le héros ne peut s'acquitter en même temps. Tel est le sens de ce qu'on appelle la fatalité du tragique ou la présence du destin, qui pousse

le héros à l'erreur ou à la faute tragique (*amartia*), cette faute généralement n'est pas morale, elle est une erreur de jugement.
Tragique d'Œdipe (Aristote, XIII, 79) inconscient de son propre destin, ou de Mère Courage (Brecht) obligée de choisir entre la vie de son fils et ses moyens d'existence, pour elle et ses autres enfants. Mais il n'y a pas de tragique si le héros ne fait pas front et n'oppose pas à la puissance aveugle du destin la liberté qui le pousse à combattre contre toute espérance plutôt qu'à s'abandonner. Le théâtre épique selon Brecht n'exclut nullement le tragique, mais voit la puissance du fatal dans le social, puissance modifiable donc, et, comme il dit, « résistible ».
Le résultat psychologique du tragique pour le spectateur est la catharsis*, cette « libération » qui le fait passer de la sympathie douloureuse pour le héros à la satisfaction d'être de plain-pied avec la liberté du héros, avec son effort héroïque pour triompher des forces aveugles.
Bibliogr. : Aristote, 1980 ; Brecht, 1972-1979 ; Goldmann, 1955.

UNITÉS ▶ RÈGLES

UNIVERS (POSSIBLES, ENCYCLOPÉDIQUE)

L'« univers possible » ou « monde possible » est, selon Umberto Eco, « une construction culturelle » (130), une combinatoire d'éléments, en relation avec l'ensemble des acquis culturels du récepteur (lecteur ou spectateur) : par exemple la mythologie antique est un monde possible, auquel le spectateur cultivé a accès.
L'univers encyclopédique du lecteur-spectateur comprend l'ensemble de ce que lui fournissent ses divers modes d'expérience et sa culture pour appréhender les objets artistiques qui lui sont proposés.
Ces notions sont indispensables pour comprendre le caractère éminemment provisoire des représentations théâtrales : si l'univers du spectateur change, la représentation n'est plus reçue de la même manière. On voit où se situe la coopération du spectateur dans l'élaboration du spectacle théâtral, lequel se joue à trois : le texte (du scripteur), les artistes de la scène, et le spectateur (porteur de ses univers propres). ▶ **Spectateur**.
Bibliogr. : Eco, 1979, 1985.

VAUDEVILLE

Genre de comédie légère avec musique et chansons, dont l'origine un peu incertaine est très ancienne (et sans doute liée à des fêtes populaires), mais qui trouve sa vogue à la fin du XVIIIe siècle et dans la première moitié du XIXe siècle. Comédie « morale » (on peut y emmener les enfants), elle se charge d'incidents burlesques, de quiproquos et de reconnaissances. La musique y joue un rôle très important : rarement originale, elle se nourrit d'airs populaires anciens ou contemporains. Son comique absurde et sa succession rapide d'événements et de coups de théâtre en font l'ancêtre des grandes comédies de la seconde moitié du XIXe siècle (Labiche, Feydeau, Courteline). ▶ **Absurde, Comédie, Genre.**

VRAISEMBLABLE, VRAISEMBLANCE

Aristote lie ce concept, qui peut être aussi traduit par probabilité (VII, 59), à celui de nécessité*. Il nourrit la doctrine classique. Le vraisemblable, c'est ce que peut accepter le spectateur doué de raison : « La vraisemblance est, dit d'Aubignac, le fondement de toutes les pièces du théâtre [...], l'essence du poème dramatique, et sans laquelle on ne peut rien faire ni rien dire de raisonnable sur la scène [...]. Il n'y a donc que le vraisemblable qui puisse raisonnablement fonder, soutenir et terminer un poème dramatique. » D'Aubignac affirme que, sans la présence du vraisemblable, « le vrai n'est pas le sujet du théâtre ». Mais dès l'ère classique se fait entendre un son discordant, celui de Corneille : « Je ne crains pas d'avancer que le sujet d'une belle tragédie doit n'être pas vraisemblable » (Préface d'*Héraclius*, 160).
La notion de vraisemblable est évidemment liée à un code*, et varie selon les époques. Mais souvent, c'est au moment même où paraît l'invraisemblable, l'excessif, que surgit la vérité. Le théâtre dit de l'absurde* joue délibérément avec l'invraisemblable.
Bibliogr. : Aristote, 1980 ; d'Aubignac, 1927 ; Corneille, 1950.

CONSEILS DE LECTURE

Dictionnaires et ouvrages généraux

M. CORVIN, *Dictionnaire encyclopédique du théâtre*, Paris, Bordas, 1991.

D. COUTY, A. REY, *Le Théâtre*, Paris, Bordas, 1980.

J. de JOMARON, *Le Théâtre en France*, Paris, Armand Colin, 1988.

P. PAVIS, *Dictionnaire du théâtre*, Paris, Messidor, 1987.

Sciences humaines

J.- L. AUSTIN, *Quand dire, c'est faire*, Paris, Éd. du Seuil, coll. « Points Essais », 1991.

L. ALTHUSSER, *Pour Marx*, Paris, Maspéro, 1965.

M. BAKHTINE, *L'Œuvre de François Rabelais*, Paris, Gallimard, 1965.

—, *Poétique de Dostoïevski*, Paris, Éd. du Seuil, 1970.

R. BARTHES, *Sur Racine*, Paris, Éd. du Seuil, 1963.

—, *Essais critiques*, Paris, Éd. du Seuil, 1964.

J. BAUDRILLARD, *Le Système des objets*, Paris, Gonthier, 1966.

E. BENVENISTE, *Problèmes de linguistique générale*, t. I et II, Paris, Gallimard, 1964-1974.

H. BERGSON, *Le Rire. Essai sur la signification du comique*, Paris, PUF, 1940.

O. DUCROT, *Dire et ne pas dire*, Paris, Hermann, 1972.

—, *Le dit et le dire*, Paris, Éd. de Minuit, 1984.

O. DUCROT, T. TODOROV, *Dictionnaire encyclopédique des sciences du langage*, Paris, Éd. du Seuil, 1972.

U. ECO, « Pour une reformulation du signe iconique », *in Communications*, n° 29, Paris, 1978.

—, *Lector in fabula*, Milan, Bompiani, 1978, Paris, Grasset, 1985.

P. FRANCASTEL, *La Réalité figurative*, Paris, Gontier, 1965.

S. FREUD, *Le Mot d'esprit et ses rapports avec l'inconscient*, Paris, Gallimard, 1930.

G. GENETTE, *Figures II*, Paris, Éd. du Seuil, 1969.

—, *Figures III*, Paris, Éd. du Seuil, 1972.

E. GOFFMANN, *Les Rites d'interaction*, Paris, Éd. de Minuit, 1974.

A. GREIMAS, *Sémantique structurale*, Paris, Larousse, 1966.

A. GREIMAS, J. COURTÈS, *Sémiotique. Dictionnaire raisonné de la théorie du langage*, Paris, Hachette, 1979.

T. E. HALL, *La Dimension cachée*, Paris, Éd. du Seuil, 1971.

R. JAKOBSON, *Essais de linguistique générale*, Paris, Éd. du Seuil, 1963.

M. JOUSSE, *L'Anthropologie du geste*, Paris, 1974.

C. KERBRAT-ORECCHIONI, *L'Énonciation. De la subjectivité dans le langage*, Paris, A. Colin, 1980.

J. KRISTEVA, *Séméiotikè. Recherches pour une sémanalyse*, Paris, Gallimard, 1969.

—, « Pratiques et langages gestuels », in *Langages*, nº 10, 1968.

A. LEROI-GOURHAN, *Le Geste et la Parole*, Paris, Albin Michel, 1988.

C. LÉVI-STRAUSS, *Anthropologie structurale*, Paris, Plon, 1958.

Y. LOTMAN, *La Structure du texte artistique*, Paris, Gallimard, 1973.

G. LUKACS, *Die Soziologie des Modernen Drama*, Luchterhand Verlag, 1914.

D. MAINGUENEAU, *L'Analyse du discours*, Paris, Hachette, 1991.

O. MANNONI, *Clefs pour l'imaginaire, ou l'Autre Scène*, Paris, Éd. du Seuil, 1965.

C. S. PEIRCE, *Écrits sur le signe* (trad. Deledal), Paris, Éd. du Seuil, 1978.

V. PROPP, *Morphologie du conte*, Paris, Éd. du Seuil, 1965.

R. SEARLE, *Les Actes de langage*, Paris, Hermann, 1972.

P. SZONDI, *Théorie du drame moderne*, Lausanne, L'Age d'homme, 1983.

Théâtre

R. ABIRACHED, *La Crise du personnage de théâtre*, Paris, Grasset, 1978.

A. ANTOINE, « Causerie sur la mise en scène », in *Revue de Paris*, avril 1903.

A. APPIA, *L'Œuvre d'art vivant*, Paris-Genève, Atar-Billaudot, 1921.

—, « Acteurs, espace, lumière, peinture », in *Théâtre populaire*, n° 5, 1954.

ARISTOTE, *La Poétique*, Paris, Éd. du Seuil, 1980, texte, traduction, notes de R. Dupont-Roc et J. Lallot.

A. ARTAUD, *Le Théâtre et son Double*, Paris, Gallimard, 1964.

H. d'AUBIGNAC, *La Pratique du théâtre*, Paris, Champion, 1927.

D. BABLET, *Les Révolutions scéniques au XXe siècle*, Paris, Société internationale d'art du XXe siècle, 1975.

B. BRECHT, *Écrits sur le théâtre*, Paris, L'Arche, 1972-1979.

P. BROOK, *L'Espace vide*, Paris, Éd. du Seuil, 1977.

P. CORNEILLE, *Œuvres*, Paris, Gallimard, coll. « Bibliothèque de la Pléiade », 1950, 1980, 1987.

M. CORVIN, « La Redondance du signe dans le fonctionnement théâtral », in *Degrés*, Bruxelles, n° 13, 1978.

G. CRAIG, *De l'art du theatre*, (1re éd. 1911), Paris, Librairie théâtrale, 1942.

E. DECROUX, *Paroles sur le mime*, Paris, Gallimard, 1963.

M. De MARINIS, « Lo spettacolo come testo », in *Versus*, n° 21-22, 1978-1979.

—, *Mimo e Mimi*, Casa Ushu, Firence, 1980.

D. DIDEROT, *De la poésie dramatique*, (1767), Paris, Larousse, 1975.

B. DORT, *Lecture de Brecht*, Paris, Éd. du Seuil, 1960.

—, *La Représentation émancipée*, Arles, Actes Sud, 1988.

L. GOLDMANN, *Le Dieu caché, étude sur la vision tragique dans les Pensées de Pascal et dans le théâtre de Racine*, Paris, Gallimard, 1955.

A. M. GOURDON, *Théâtre, public, réception*, CNRS, Paris, 1986.

A. GREEN, *Un œil en trop. Le complexe d'Œdipe dans la tragédie*, Paris, Éd. de Minuit, 1969.

Ph. HAMON, « Pour un statut sémiologique du personnage de théâtre », in *Poétique du récit*, Paris, Éd. du Seuil, 1977.

F. W. HEGEL, *Esthétique*, Paris, Aubier-Montaigne, 1965.

V. HUGO, *Préface de Cromwell*, Paris, Garnier-Flammarion, 1968.

H. R. JAUSS, *Pour une esthétique de la réception*, Paris, Gallimard, 1978.

J. de MAIRET, Préface de *La Silvanire*, in *Théâtre du XVIIe siècle*, Gallimard, 1975, t. I, éd. J. SCHÉRER.

C. MAURON, *Psychocritique du genre comique*, Paris, José Corti, 1964.

V. MEYERHOLD, *Écrits sur le théâtre*, Lausanne, La Cité-L'Age d'homme, 1973-1980.

Fr. NIETZSCHE, *Naissance de la tragédie*, Paris, Gallimard, 1977.

P. PAVIS, *Problèmes de sémiologie théâtrale*, Montréal, Les Presses de l'université du Québec, 1976.

—, *Voix et images de la scène. Essais de sémiologie théâtrale*, Lille, PUL, 1985.

E. PISCATOR, *Le Théâtre politique*, Paris, L'Arche, 1962.

PLATON, *La République*, Paris, Les Belles Lettres, coll. « Budé », 1940-1942, trad. Léon Robin.

J. de ROMILLY, *La Tragédie grecque*, Paris, PUF, 1970.

J.-J. ROUBINE, *Introduction aux grandes théories du théâtre*, Paris, Bordas, 1990.

F. RUFFINI, *Semiotica del testo : l'esempio teatrale*, Roma, Bulzoni, 1978.

M. SAISON, « Les objets dans la création théâtrale », in *Revue de métaphysique et de morale*, Paris, 1974.

J. SCHÉRER, *La Dramaturgie classique en France*, Paris, Nizet, 1950.

J. SCHÉRER, M. de ROUGEMONT, M. BORIE, *Esthétique théâtrale. Textes de Platon à Brecht*, Paris, CDU-Sedes, 1982.

O. SCHLEMMER, *Théâtre et Abstraction*, Lausanne, L'Age d'homme, 1978.

C. STANISLAVSKY, *La Formation de l'acteur*, Paris, Payot, 1963.

—, *Ma vie dans l'art*, Lausanne, L'Âge d'homme, 1980.

A. UBERSFELD, *Lire le théâtre*, Paris, Éd. sociales, 1977, Belin, 1995.

—, *Lire le théâtre II (L'École du spectateur)*, Paris, Messidor, 1981, Belin, 1995.

—, *Le Roi et le Bouffon, étude sur le théâtre de Hugo*, Paris, José Corti, 1974.

—, *L'« École du spectateur » (Lire le théâtre II)*, Paris, Messidor, 1981, Belin, 1995.

—, *Paroles de Hugo*, Paris, Messidor, 1985.

—, *Le Roman d'Hernani*, Paris, Mercure de France, 1985.

—, *Le Théâtre et la Cité*, Bruxelles, Éd. Complexe, 1988.

—, *Vinaver dramaturge*, Paris, Librairie théâtrale, 1990.

—, *Le Drame romantique*, Paris, Belin, 1993.

—, *AntoineVitez, metteur en scène et poète*, Paris, Les Quatre Vents, 1994.

VEINSTEIN, *La mise en scène théâtrale et sa condition esthétique*, Flammarion, Paris, 1955.

J.-P. VERNANT, *Mythe et société en Grèce ancienne*, Paris, Maspéro, 1974.

M. VINAVER, *Écrits sur le théâtre*, Lausanne, Éd. de l'Airc, 1982.

A. VITEZ, *Le Théâtre des idées*, Paris, Gallimard, 1991.

P. VOLTZ, « L'insolite est-il une carégorie dramaturgique ? », in *L'Onirisme*, Klinsieck, 1974.

E. ZOLA, « Le naturalisme au théâtre », (1e éd. 1881), in *Œuvres complètes*, t. XI, Cercle du livre précieux, Paris, 1968.

RÉALISATION : ATELIER GRAPHIQUE DES ÉDITIONS DE SEPTEMBRE À PARIS
IMPRESSION : AUBIN IMPRIMEUR À POITIERS
DÉPÔT LÉGAL FÉVRIER 1996. N° 22955 (L 50617)